101 RECETAS PARA CUIDARSE

Título original: *101 Healthy Eats*

Primera publicación en 2008 por BBC Books, un sello de Ebury Publishing, una división de Random House Group.

© 2008, BBC Magazines, por las fotografías
© 2008, BBC Magazines, por las recetas
© 2008, Woodlands Book Ltd, por la edición original
© 2011, Random House Mondadori, S.A.
Travessera de Gràcia, 47-49. 08021 Barcelona
© 2011, Carme Geronès, por la traducción

Quedan prohibidos, dentro de los límites establecidos en la ley y bajo los apercibimientos legalmente previstos, la reproducción total o parcial de esta obra por cualquier medio o procedimiento, ya sea electrónico o mecánico, el tratamiento informático, el alquiler o cualquier otra forma de cesión de la obra sin la autorización previa y por escrito de los titulares del *copyright*. Diríjase a CEDRO (Centro Español de Derechos Reprográficos, http://www.cedro.org) si necesita fotocopiar o escanear algún fragmento de esta obra.

Primera edición: *febrero de 2011*

Edición: Lorna Russel
Edición del proyecto: Laura Higginson
Diseño: Annette Peppis
Producción: David Brimble
Búsqueda de imágenes: Gabby Harrington

Fotocomposición: Compaginem

ISBN: 978-84-253-4598-2

Impreso en Gráficas 94, S.L.
Sant Quirze del Vallès (Barcelona)
Encuadernado en Reinbook

Depósito legal: B.740-2011

G R 4 5 9 8 2

101 RECETAS PARA CUIDARSE

Jane Hornby

Grijalbo

PASADENA PUBLIC LIBRARY
1201 Jeff Ginn Memorial Drive
Pasadena, TX 77506-4895

Sumario

Introducción

En BBC *Good Food Magazine* intentamos que nuestras recetas reflejen el dilema moderno: todos queremos comer más sano sin abandonar los platos que tanto nos gustan. Todos los meses hemos ido dando respuesta al reto y hemos logrado reunir 101 de nuestras mejores recetas en un libro práctico y manejable, a fin de que cuidarse comiendo no sea algo así como un calvario.

¿Que nos apetece pescado frito con patatas hoy para cenar? ¡No hay problema! ¿Pensamos que hay que desterrar las hamburguesas? *101 recetas para cuidarse* nos lo soluciona. Nos hemos replanteado una serie de tonificantes platos clásicos reduciendo su contenido en grasa sin afectar a su sabor.

No solo nos hemos centrado en nuestros platos preferidos de siempre; todas las recetas del libro tienen un bajo contenido en grasas, en grasas saturadas y en sal, contienen como mínimo una de las 5 raciones diarias recomendadas de fruta y verdura (lo que figura en las recetas como «una de las 5», «dos de las 5»...), constituyen una extraordinaria fuente de omega 3, hierro y fibra, o bien forman una supersaludable combinación de lo citado anteriormente.

Presentamos comidas cotidianas con un amplio surtido de deliciosos almuerzos, cenas y postres, además de una gran cantidad de platos ligeros que harán las delicias de nuestros invitados, pues conservan todo su sabor. Independientemente de la ocasión, el libro nos mimará con un sinfín de posibilidades sin echar a perder nuestras buenas intenciones.

Jane Hornby
BBC Good Food Magazine

Tablas de conversión

NOTA PREVIA

- Los huevos utilizados serán de medida grande (L), a menos que se indique lo contrario.
- Lavar todos los alimentos frescos antes de prepararlos.
- Las recetas incluyen un análisis nutricional del «azúcar», que se refiere al contenido total de azúcar, incluso todos los azúcares naturales presentes en los ingredientes, excepto que se especifique otra cosa.

TEMPERATURA DEL HORNO

Gas	°C	°C convección	Temperatura
¼	110	90	Muy fría
½	120	100	Muy fría
1	140	120	Fría o suave
2	150	130	Fría o suave
3	160	140	Tibia
4	180	160	Moderada
5	190	170	Moderada caliente
6	200	180	Bastante caliente
7	220	200	Caliente
8	230	210	Muy caliente
9	240	220	Muy caliente

MEDIDAS DE LAS CUCHARADAS

Las cucharadas son rasas, salvo indicación contraria.

- 1 cucharadita = 5 ml
- 1 cucharada = 15 ml

RECETAS

Añadir unas hortalizas a una simple hamburguesa hace que la carne quede muy jugosa, se enriquecen las 5 raciones de verdura al día y resulta un plato de muy bajo contenido en grasa.

Hamburguesas de ternera con salsa

300 g de carne de ternera picada
50 g de miga de pan integral
50 g de zanahoria rallada
1 cebolla pequeña picada
un puñado pequeño de perejil picado
1 cucharada de salsa Worcestershire
4 panecillos integrales
servir con unas hojas de ensalada y salsa de tomate

20 minutos • 4 raciones

1 Precalentar la parrilla a temperatura moderada. En un cuenco grande, mezclar los seis primeros ingredientes y salpimentar. Formar con la mezcla cuatro hamburguesas y colocarlas sobre papel de horno.

2 Asar las hamburguesas 3-4 minutos por cada lado o hasta que estén hechas y mantenerlas calientes. Partir por la mitad los panecillos, tostarlos 1 minuto con la miga hacia arriba. Colocar unas hojas de ensalada en la base de cada panecillo, poner encima la hamburguesa, una generosa ración de salsa de tomate y cubrir con la otra mitad del panecillo.

• Cada ración contiene: 313 kcal, 24 g de proteínas, 35 g de carbohidratos, 10 g de grasa, 4 g de grasas saturadas, 3 g de fibra, 5 g de azúcar añadido y 1,99 g de sal.

Si se añade suero de leche al puré en lugar de mantequilla y leche, se obtiene un sabor y una textura cremosos y se evitan las grasas saturadas. Esta versión de un plato clásico tiene también un bajo contenido en sal.

Pastel rápido de carne

1 cucharada de aceite de oliva
500 g de carne magra de ternera picada
1 loncha de beicon sin corteza y picada
1 cebolla picada
100 g de champiñones partidos por la mitad si son grandes
1 diente de ajo picado
150 ml de vino tinto
250 ml de caldo de ternera (puede hacerse con un cubito)
las hojas de tres ramitas de tomillo
1 cucharada de harina

PARA LA COBERTURA
750 g de patatas troceadas
750 ml de suero de leche o de leche descremada
2 cebollas tiernas en rodajas finas

40 minutos • 4 raciones

1 Calentar el aceite en una cacerola antiadherente, añadir la carne picada y dorar. Reservar. Poner el beicon, la cebolla, los champiñones y el ajo en la cacerola y dejar 5 minutos al fuego hasta que la cebolla esté blanda.
2 Poner de nuevo la carne en la cacerola y añadir el vino, el caldo y el tomillo. Cocer a fuego lento unos 30 minutos o hasta que la carne esté tierna. Mezclar la harina con un poco de agua fría y añadir a la salsa hasta que espese. Pasar la mezcla a una fuente mediana. Precalentar el horno a 220 °C.
3 Mientras, hervir las patatas en agua 15 minutos. Escurrir, hacer el puré añadiéndole el suero de leche y la mitad de la cebolla tierna. Poner el puré sobre la carne y ahuecarlo. Hornear 15 minutos hasta que se dore. Servir espolvoreando el resto de la cebolla tierna.

• Cada ración contiene: 390 kcal, 36 g de proteínas, 40 g de carbohidratos, 11 g de grasa, 3 g de grasas saturadas, 3 g de fibra, 5 g de azúcar añadido y 0,8 g de sal.

Los curries no tienen por qué llevar mucha grasa, como demuestra esta deliciosa receta con mínimo contenido en grasa y grasas saturadas. Freír las especias intensifica su aroma y el yogur lo hace cremoso.

Curry de pollo aromático

3 cucharadas de aceite de girasol
6 muslos de pollo con hueso y sin piel
1 cebolla picada
5 hojas de laurel
2 ramitas de canela
6 vainas de cardamomo ligeramente machacadas
250 ml de yogur griego
20 g de hojas y tallos de cilantro picado
4 cucharadas de pasta de curry korma
85 g de pasas
pan naan y chutney de mango para servir (opcional)

50 minutos • 6 raciones

1 Precalentar el horno a 180 ºC. En una cazuela grande con tapa calentar una cucharada de aceite. Introducir el pollo y dejarlo 7-10 minutos hasta que esté dorado por las dos caras. Retirar del fuego y reservar. Pasar el laurel y las especias unos 5 minutos por el aceite restante para que se ablanden. Apartar del fuego y poner de nuevo el pollo al fuego.

2 Mezclar el yogur, el cilantro, la pasta de curry y las pasas, verter la mezcla sobre el pollo y remover un poco. Cubrir el recipiente y meterlo 30 minutos en el horno o hasta que la carne se desprenda del hueso con facilidad. Servir con pan naan y chutney de mango.

• Cada ración contiene: 217 kcal, 23 g de proteínas, 13 g de carbohidratos, 9 g de grasa, 3 g de grasas saturadas, 1 g de fibra, 12 g de azúcar añadido y 0,68 g de sal

Pues sí, incluso el vigorizante pastel de salchichas al horno puede ser un plato saludable y bajo en grasa. Si lo prefieres, sustituye la manzana por una cebolla grande.

Pastel de salchichas y manzanas

1 cucharada de aceite de girasol
4 salchichas semimagras
50 g de harina
150 ml de leche descremada
2 cucharadas de mostaza con semillas
1 huevo
1 manzana sin corazón, y cortada en gajos

30 minutos • 4 raciones

1 Precalentar el horno a 240°C. Untar con aceite un recipiente para pudin con cuatro concavidades e introducir una salchicha en cada una. Ponerlas al fuego durante 5 minutos o hasta que estén doradas.
2 Echar la harina en un cuenco, sazonar y abrir un hueco en el centro. Batir la leche, la mostaza y el huevo y verter una tercera parte en el hueco. Incorporar la harina a la leche para formar una pasta. Mezclar con la leche restante para formar una masa suave.
3 Sin apartar las salchichas del fuego, cortarlas por la mitad. Repartir los gajos de manzana entre las salchichas. Esparcir por encima la masa. Retirar del fuego y hornear 20 minutos o hasta que la masa haya subido y esté dorada. Servir con puré de patata y guisantes.

• Cada ración contiene: 221 kcal, 12 g de proteínas, 20 g de carbohidratos, 11 g de grasa, 3 g de grasas saturadas, 2 g de fibra, 7 g de azúcar añadido y 1,43 g de sal.

La carne picada magra es una opción para reducir la ingesta de grasa. Esta nutritiva y sabrosa boloñesa, baja en grasa, nos ofrece también 2 de las 5 raciones de verdura recomendadas del día.

Pasta boloñesa rápida

500 g de carne de ternera picada (con menos de un 5 % de grasa)
un puñado de champiñones laminados
2 dientes de ajo machacados
3 cucharadas de tomates triturados, secados al sol
400 g de tomate troceado en lata
1 copa de vino tinto o 125 ml de caldo de ternera
1 cucharada de mezcla de hierbas aromáticas secas
400 g de macarrones
un puñado de hojas de albahaca troceadas para servir

25 minutos • 4 raciones

1 Sin añadir ningún tipo de grasa, dorar durante 5 minutos en una sartén grande la carne, añadir los champiñones y dejar la mezcla 3 minutos más. Incorporar el ajo y los tomates secos y dejar cocer 2 minutos. Verter el tomate triturado, el vino o el caldo, las hierbas aromáticas y sazonar. Llevar a ebullición y dejar 10 minutos a fuego lento. Hervir la pasta siguiendo las instrucciones del envase, escurrir y servir con la salsa y la albahaca por encima

• Cada ración contiene: 574 kcal, 41 g de proteínas, 81 g de carbohidratos, 11 g de grasa, 3 g de grasas saturadas, 4 g de fibra, 6 g de azúcar añadido y 0,56 g de sal

Un clásico de las comidas para llevar que puede ser saludable e igual de delicioso que el original cuando se conoce el truco. Con bajo contenido en grasas, más fibra, ácido fólico y vitamina C.

Pescado frito con patatas y puré de guisantes

400 g de patatas para el horno
2 cucharadas de aceite de oliva
2 rebanadas de pan blanco
2 filetes de pescado blanco
1 cucharada de harina sin levadura sazonada
1 huevo batido
150 g de guisantes a la menta congelados
2 cucharadas de nata semidescremada

50 minutos • 2 raciones

1 Precalentar el horno a 200 °C. Pelar las patatas, cortarlas en trozos alargados, rociarlas con el aceite y espolvorearlas con sal. Disponerlas en una plancha antiadherente y asarlas 10 minutos por cada lado.
2 Tostar ligeramente el pan y pasarlo por el robot para convertirlo en migas gruesas. Pasar el pescado por harina, desechando el exceso, pasarlo por el huevo y rebozarlo bien con el pan rallado casero. Asar el pescado junto con las patatas 20 minutos o hasta que esté dorado.
3 Poco antes de sacar las patatas y el pescado, hervir 3-4 minutos los guisantes, escurrirlos y hacer el puré. Añadir la nata y salpimentar.

• Cada ración contiene: 484 kcal, 42 g de proteínas, 58 g de carbohidratos, 11 g de grasa, 3 g de grasas saturadas, 6 g de fibra, 4 g de azúcar añadido y 1,09 g de sal.

Pinchitos llenos de sabor en vez de grasa, acompañados de salsa de yogur a la menta, excelente fuente de calcio. Puede prepararse también con pollo, para una versión aún más magra.

Pinchitos de cordero a la menta

150 ml de yogur natural
1½ cucharada de salsa de menta
1 cucharadita de comino molido
300 g de cordero magro en dados
½ cebolla pequeña cortada en trozos grandes
2 panes de pita grandes
dos puñados de lechuga troceada

30 minutos • 2 raciones

1 Precalentar la parrilla a temperatura moderada. Mezclar en un cuenco el yogur y la salsa de menta y reservar la mitad. Añadir en el cuenco el comino y el cordero y mezclar bien para que la carne quede bien untada.
2 Ensartar la carne en cuatro pinchos alternando con los trozos de cebolla, colocarlos sobre la parrilla de un asador. Asar los pinchitos 3-4 minutos por cada lado, hasta que la carne esté hecha y la cebolla empiece a dorarse.
3 Calentar 2-3 minutos el pan de pita y abrirlo. Meter el cordero, la cebolla y un poco de lechuga dentro del pan y, antes de servir, rociar con el resto de la salsa de yogur a la menta.

• Cada ración contiene: 538 kcal, 43 g de proteínas, 62 g de carbohidratos, 15 g de grasa, 7 g de grasas saturadas, 3 g de fibra, 11 g de azúcar añadido y 1,68 g de sal.

Las especias tienen una relación de complicidad con el abadejo ahumado. Un plato cremoso, que sacia, una comida ligera baja en grasa o una buena cena con pan crujiente.

Sopa espesa de abadejo ahumado

400 g de filetes de abadejo ahumado natural sin colorantes
unos granos de pimienta negra
1 hoja de laurel
500 ml de leche semidescremada
700 ml de caldo de pescado, verduras o pollo
25 g de mantequilla
4 puerros sin la parte verde, limpios y cortadas en aros finos
½ cucharada de semillas de comino
4 patatas medianas troceadas

25 minutos • 4 raciones

1 Poner la pimienta y el laurel en una cazuela poco honda, añadir el pescado, con la piel hacia abajo, y cubrirlo con la leche y el caldo. Llevar a ebullición y cocer el pescado a fuego lento 5-10 minutos, hasta que la parte más gruesa empiece a abrirse en láminas. Sacarlo con cuidado de la cazuela y reservarlo.

2 Calentar la mantequilla en una cazuela grande y ablandar los puerros 10 minutos, sin dejar que se doren. Aumentar un poco el fuego, echar las semillas de comino hasta que chisporroteen y huelan a tostado. Incorporar las patatas y el líquido de cocción y dejar la mezcla 20 minutos a fuego lento, hasta que las patatas estén tiernas. Antes de servir, desmenuzar el pescado, ponerlo en la cazuela y darle unas vueltas. Servir en platos hondos.

• Cada ración contiene: 314 kcal, 28 g de proteínas, 32 g de carbohidratos, 9 g de grasa, 5 g de grasas saturadas, 5 g de fibra, 10 g de azúcar añadido y 2,14 g de sal.

Quien vaya contando calorías pero le guste la cocina china puede preparar este plato de pollo al estilo chino muy bajo en grasa y con mucha vitamina C. Delicioso servido caliente con humeante arroz.

Pollo estilo chino

1 clara de huevo
1 cucharada de harina de maíz y
 1 cucharadita extra
4 pechugas de pollo deshuesadas,
 sin piel y troceadas
1-2 cucharadas de aceite vegetal
1 cucharada de salsa de pescado
el zumo de 1 lima
1 pimiento rojo sin semillas y troceado
1 trozo de jengibre del tamaño del
 pulgar, en láminas finas
1 diente de ajo en láminas finas
1 chalota en láminas finas
1 guindilla sin semillas y en láminas
 finas (opcional)
un puñado de hojas frescas de
 albahaca
arroz hervido para servir

30 minutos, más el marinado
• 4 raciones

1 Batir la clara de huevo con una cucharada de harina de maíz en un cuenco. Añadir el pollo, y dejar marinar 15 minutos
2 Sacar el pollo y secarlo con papel de cocina. Calentar una cucharada de aceite en un wok. Saltear el pollo 5-7minutos hasta que esté hecho. Reservar. Mientras mezclar la salsa de pescado, el zumo de lima, 55 ml de agua y la cucharadita restante de harina de maíz.
3 Si hace falta, añadir un poco más de aceite y saltear 1 minuto el pimiento, incorporar el jengibre, la chalota, el ajo y la guindilla, si apetece, y dejar en el fuego 1-2 minutos más. Incorporar la mezcla hecha con la salsa de pescado en el wok, luego el pollo, aumentar el fuego y espolvorear con albahaca antes de servir con arroz hervido

• Cada ración contiene: 501 kcal, 42 g de proteínas, 76 g de carbohidratos, 5 g de grasa, 1 g de grasas saturadas, 2 g de fibra, 3 g de azúcar añadido y 1,02 g de sal.

El cerdo magro es bajo en grasas saturadas y nos brinda una opción de lo más saludable. Servido con ensalada de col obtendremos una de las 5 raciones verdes del día.

Escalopes crujientes de cerdo

4 lonchas de lomo de 175 g sin grasa
2 rebanadas de pan tostado
un puñado de hojas frescas de salvia
25 g de parmesano rallado fino
1 huevo batido
1 cucharada de aceite
unos gajos de limón para servir (opcional)

PARA LA ENSALADA DE COL
½ col sin el tronco cortado en tiras finas
4 cucharadas de suero de leche o yogur natural semidescremado
2 manzanas rojas y cortadas en rodajas

30 minutos • 4 raciones

1 Colocar las lonchas de lomo entre dos trozos de papel film o de horno y aplastar con un rodillo hasta conseguir un grosor de 1 ½ cm. Pasar el pan por el robot para obtener migas. Añadir la salvia y triturarla ligeramente. Agregar el parmesano y extender la mezcla en una fuente. Aderezar con pimienta negra.
2 Pasar cada una de las lonchas por el huevo batido, dejar que se escurra un poco y a continuación rebozarlas por ambos lados en la mezcla de las migas. Reservar. En una sartén grande no adherente calentar el aceite y freír el lomo 3-4 minutos por cada lado.
3 Combinar la col, el suero de leche o el yogur y las rodajas de manzana y salpimentar. Servir el lomo con la ensalada de col y un gajo de limón, si apetece, para exprimir sobre la carne.

• Cada ración contiene: 380 kcal, 47 g de proteínas, 21 g de carbohidratos, 13 g de grasa, 4 g de grasas saturadas, 3 g de fibra, 12 g de azúcar añadido y 0,7 g de sal.

Este ingenioso korma no precisa leche de coco ni nata. Las almendras le dan a la salsa el cuerpo que necesita. Un curry sabroso bajo en grasa, grasas saturadas y sal.

Korma rápido de gambas

1 cucharada de aceite de girasol
1 cebolla picada
400 g de gambas peladas descongeladas
2 cucharadas de pasta de curry korma
3 cucharadas de almendras molidas
un puñado de hojas frescas de cilantro troceadas
arroz hervido para acompañar (opcional)

15 minutos, más el tiempo para descongelar • 4 raciones

1 Calentar el aceite en una sartén, echar la cebolla y dejar que se dore 5 minutos. Añadir las gambas y darles unas vueltas hasta que adquieran un tono rosado y uniforme. Agregar la pasta de curry, 150 ml de agua y las almendras molidas. Llevar a ebullición y dejar 2-3 minutos a fuego lento hasta que la salsa se haya espesado un poco. Espolvorear el cilantro cortado y servir con arroz hervido.

• Cada ración contiene: 188 kcal, 21 g de proteínas, 4 g de carbohidratos, 10 g de grasa, 1 g de grasas saturadas, 1 g de fibra, 2 g de azúcar añadido y 0,8 g de sal.

Un reconfortante plato único lleno de sabor que proporciona además una de las 5 raciones verdes del día. Puede servirse con una ensalada sencilla para aumentar el contenido vegetal.

Tajine sabroso de pollo

2 cucharadas de aceite de oliva
8 muslos de pollo deshuesados, sin piel, partidos si son grandes
1 cebolla picada
2 cucharadas de jengibre rallado
unas hebras de azafrán o una pizca de cúrcuma
1 cucharada de miel clara
400 g de zanahorias cortadas en palitos
1 pequeño ramillete de perejil troceado
gajos de limón para acompañar

50 minutos • 4 raciones

1 Calentar el aceite en una cacerola amplia con tapa, freír en ella el pollo sin tapar hasta que esté ligeramente dorado. Añadir la cebolla y el jengibre y dejar 2 minutos más al fuego. Agregar 150 ml de agua, el azafrán, la miel y la zanahoria. Salpimentar y remover bien.

2 Llevar a ebullición, tapar el recipiente y dejarlo a fuego lento 30 minutos o hasta que el pollo esté tierno. Destapar, aumentar el fuego y dejar 5 minutos más para que la salsa se reduzca un poco. Espolvorear con perejil y servir con gajos de limón para exprimir por encima.

• Cada ración contiene: 304 kcal, 39 g de proteínas, 14 g de carbohidratos, 11 g de grasa, 3 g de grasas saturadas, 3 g de fibra, 12 g de azúcar añadido y 0,48 g de sal.

No hay excusa para decir no a unos fideos con esta receta clásica con bajo contenido en grasa.

Pad Tai en cuatro pasos sencillos

250 g de fideos de arroz medianos
2 cucharaditas de pasta de tamarindo
3 cucharadas de salsa de pescado
2 cucharaditas de azúcar
2 cucharadas de aceite vegetal
1 diente de ajo picado
3 cebollas tiernas en rodajas
1 huevo
200 g de gambas grandes cocidas
75 g de alubias germinadas
un puñado de cacahuetes salados picados y unos gajos de lima para acompañar

25 minutos • 4 raciones

1 Poner los fideos en un cuenco, cubrirlos con agua hirviendo, dejarlos 5-10 minutos hasta que se ablanden y escurrir. Mezclar la pasta de tamarindo, la salsa de pescado y el azúcar.
2 Calentar bien un wok o una sartén. Echar el aceite, el ajo y la cebolla tierna y saltear 30 segundos para que se ablanden un poco.
3 Apartar las hortalizas hacia los lados del wok, romper el huevo en el centro y remover 30 segundos para que cuaje y adquiera el aspecto de una tortilla troceada.
4 Añadir las gambas, las alubias germinadas y los fideos. Verter encima la mezcla de la salsa de pescado, remover y calentar. Servir espolvoreando por encima los cacahuetes picados y acompañar con los gajos de lima.

• Cada ración contiene: 359 kcal, 19 g de proteínas, 57 g de carbohidratos, 8 g de grasa, 1 g de grasas saturadas, 1 g de fibra, 5 g de azúcar añadido y 3,17 g de sal.

Es increíble lo que se puede hacer con cuatro ingredientes que hay en casa. Receta de plato único bajo en grasa, rápido, y con poca vajilla que lavar.

Huevos saludables con patatas

500 g de patatas en dados
2 chalotas en rodajas finas
1 cucharada de aceite de oliva
2 cucharaditas de orégano seco
o 1 cucharadita si es fresco
200 g de champiñones pequeños
4 huevos

40 minutos • 4 raciones

1 Precalentar el horno a 200°C. Poner las patatas y las chalotas en una fuente amplia antiadherente, echar el aceite por encima, espolvorear con el orégano y mezclar. Dejar 15 minutos en el horno, añadir los champiñones y cocer 10 minutos más hasta que las patatas estén doradas y tiernas.

2 Formar en la mezcla cuatro huecos y echar un huevo en cada uno. Hornear y dejar 3-4 minutos más o hasta que los huevos estén al gusto de los comensales.

• Cada ración contiene: 218 kcal, 11 g de proteínas, 22 g de carbohidratos, 10 g de grasa, 2 g de grasas saturadas, 2 g de fibra, 1 g de azúcar añadido y 0,24 g de sal

Las cinco raciones de vegetales recomendadas al día se encuentran en esta vigorizante lasaña de requesón y espinacas.

Lasaña con cinco verduras

4 cucharadas de aceite de oliva
1 berenjena grande en dados pequeños
350 g de champiñones laminados
4 pimientos rojos asados cortados en tiras
700 g de salsa de tomate con cebolla y ajo
placas de lasaña secas
400 g de espinacas descongeladas
250 g de requesón
25 g de parmesano rallado
25 g de piñones

55 minutos, más el tiempo para descongelar • 4 raciones

1 Precalentar el horno a 180°C. Poner al fuego una sartén antiadherente con dos cucharadas de aceite. Freír 5 minutos la berenjena para que se ablande y pasarla a un cuenco. En el aceite restante, dorar los champiñones, mezclarlos con la berenjena y añadir los pimientos.
2 Colocar la mitad de la mezcla en una fuente de horno de 20 x 30 cm. Rociar con la mitad de la salsa de tomate y cubrir con láminas de lasaña. Extender por encima el resto de los vegetales, cubrir con salsa de tomate y luego lasaña. Escurrir las espinacas, añadir el requesón y la mitad del parmesano. Esparcir por encima y espolvorear con el resto de parmesano y los piñones. Cubrir con papel de aluminio y hornear. A los 20 minutos quitar el papel y dejar la lasaña 10 minutos más para que se dore. Servir con ensalada.

• Cada ración contiene: 528 kcal, 21 g de proteínas, 46 g de carbohidratos, 30 g de grasa, 8 g de grasas saturadas, 9 g de fibra, 13 g de azúcar añadido y 2,11 g de sal.

La salsa hoisin, muy parecida a la de soja, añade mucho sabor y no contiene grasa. Unos rollitos perfectos para la fiambrera del mediodía.

Rollitos de pollo con salsa hoisin

2 tortillas mexicanas
4 cucharaditas de salsa hoisin
100 g de pechuga de pollo sobrante de otro plato, desmenuzada
¼ pepino en palitos finos
2 cebollas tiernas cortadas en tiras

10 minutos • 2 raciones

1 Calentar las tortillas en una sartén sin aceite o en el microondas unos segundos.
2 Untar las tortillas con 2 cucharaditas de salsa hoisin y esparcir por encima el pollo desmenuzado, el pepino y la cebolla tierna. Envolver bien y disfrutar del rollito.

• Cada ración contiene: 222 kcal, 19,4 g de proteínas, 27,2 g de carbohidratos, 4,7 g de grasa, 1,2 g de grasas saturadas, 1,3 g de fibra, 5,2 g de azúcar añadido y 1,68 g de sal.

Un plato único mucho más sutil que el pollo a la Kiev estándar y también con menos grasa.

Pollo a la Kiev simplificado

4 pechugas de pollo deshuesadas y sin piel
25 g de mantequilla al ajo ablandada
25 g de pan rallado

25 minutos • 4 raciones

1 Colocar el pollo en una fuente de horno, untar con un poco de mantequilla, sazonar y asar bajo el grill 15 minutos por las dos caras a fuego medio.

2 Mezclar el resto de la mantequilla al ajo y el pan rallado. Sacar el pollo del horno y untarlo con la mezcla. Asar 3-5 minutos más para que se funda la mantequilla y se dore el pan rallado. Servir con su jugo y acompañado con patatas nuevas y guisantes o habas.

• Cada ración contiene: 218 kcal, 34 g de proteínas, 5 g de carbohidratos, 7 g de grasa, 4 g de grasas saturadas, 0 g de fibra, 0 g de azúcar añadido y 0,37 g de sal.

El solomillo de cerdo es muy magro y a veces podemos pasarnos en la cocción. Si unos minutos antes de servir el plato añades la carne medio hecha a la salsa, se acabará de cocer y se mantendrá jugosa.

Cerdo agridulce aromático

2 cucharadas de aceite de girasol
 u otro aceite vegetal
400 g de solomillo de cerdo troceado
1 cebolla troceada
200 g de piña en almíbar troceada
 y escurrida, reservando el jugo
1 cucharada de kétchup
200 g de tomate triturado
150 ml de caldo de pollo
1 cucharadita de harina de maíz
1 bastoncito de canela en rama
arroz hervido para acompañar
 (opcional)

25 minutos • 4 raciones

1 Calentar una cucharada de aceite en una sartén grande y honda y freír el cerdo 5 minutos para que se dore pero no se haga del todo. Reservar la carne.
2 Calentar otra cucharada de aceite en la sartén y freír la cebolla unos 5 minutos para que se ablande. Agregar la piña, 3 cucharadas de su almíbar, el kétchup, el tomate, el caldo y la canela en rama. Llevar a ebullición y dejar 10 minutos a fuego lento para que espese la salsa.
3 Echar el cerdo en el recipiente y dejar 4 minutos. Desleír la harina de maíz en un poco de agua fría, añadirla a la salsa y remover para que espese un poco más. Servir con arroz.

• Cada ración contiene: 213 kcal, 23 g de proteínas, 13 g de carbohidratos, 8 g de grasa, 3 g de grasas saturadas, 1 g de fibra, 11 g de azúcar añadido y 0,52 g de sal.

El risotto es un plato cremoso de por sí, y no necesita grasa. La calabaza moscada de invierno es una buena fuente de vitamina C y nos proporciona una de las 5 raciones verdes del día.

Risotto de calabaza moscada

250 g de arroz
700 ml de caldo de verduras caliente
1 calabaza moscada mediana
un buen puñado de parmesano rallado y un poco más para servir
un puñado de hojas de salvia fresca troceadas

25 minutos • 4 raciones

1 Poner el arroz en un cuenco grande, cubrirlo con los 500 ml de caldo de verduras caliente, cubrir con papel film y dejar 5 minutos en el microondas a temperatura muy alta. Pelar, quitar las semillas y cortar la calabaza en dados medianos. Remover el arroz y añadirle la calabaza y el resto del caldo.

2 Tapar de nuevo con papel film, dejar 15 minutos más en el microondas, dándole una vuelta a mitad de la cocción hasta que se absorba todo el caldo, y el arroz y la calabaza estén tiernos.

3 Dejar reposar el risotto 2 minutos, añadir el parmesano y la salvia, y servir espolvoreado con un poco más de parmesano.

• Cada ración contiene: 313 kcal, 10 g de proteínas, 66 g de carbohidratos, 3 g de grasa, 1 g de grasas saturadas, 4 g de fibra, 9 g de azúcar añadido y 1,04 g de sal.

El parmesano parece crepitar sobre la carne de pollo sin piel en este sabroso plato magro con mucha vitamina C.

Pollo de primavera al parmesano

1 clara de huevo
5 cucharadas de parmesano rallado fino
4 pechugas de pollo deshuesadas y sin piel
400 g de patatas nuevas en pequeños dados
150 g de guisantes congelados
un buen puñado de hojas de espinacas pequeñas
1 cucharada de vinagre de vino blanco
2 cucharada de aceite de oliva

20 minutos • 4 raciones

1 Precalentar la parrilla a temperatura moderada y cubrir la bandeja con papel de aluminio. Batir la clara de huevo salpimentada en un cuenco poco hondo. Poner el parmesano en un plato. Pasar el pollo primero por la clara de huevo y luego por el queso. Asar las pechugas rebozadas 10-12 minutos, dándoles la vuelta a media cocción para que se doren y queden crujientes.
2 Mientras tanto, hervir 10 minutos las patatas y añadir los guisantes 3 minutos antes de sacarlas del fuego y escurrirlas. Mezclar las patatas y los guisantes con las hojas de espinaca, aliñar con vinagre y aceite y sazonar al gusto. Repartir las verduras en 4 platos precalentados y servir con el pollo encima.

• Cada ración contiene: 339 kcal, 42 g de proteínas, 20 g de carbohidratos, 11 g de grasa, 3 g de grasas saturadas, 3 g de fibra, 3 g de azúcar añadido y 0,53 g de sal.

La caballa queda de maravilla con el curry y la salsa. Un plato que sacia, bajo en sal y fuente de omega 3.

Caballa con especias sobre tostadas y salsa de remolacha

4 filetes de caballa cortados a lo ancho por la mitad
aceite de oliva para aliñar
1 cucharadita de curry suave en polvo
4 rebanadas de pan redondo o chapata

PARA LA SALSA
250 g de remolacha al natural (sin vinagre) en dados
1 manzana cortada en gajos y luego en láminas finas
1 cebolla roja cortada en rodajas finas
el zumo de ½ limón
1 cucharada de aceite de oliva
1 cucharadita de semillas de comino
un puñadito de hojas de cilantro

15 minutos • 4 raciones

1 Para la salsa, mezclar la remolacha, la manzana, la cebolla, el zumo de limón, el aceite, el comino y el cilantro, sazonar y reservar mientras se asa la caballa.

2 Precalentar la parrilla a temperatura alta. Poner los filetes de caballa sobre el papel de aluminio con el que se ha cubierto la rejilla, espolvorearlos con el curry en polvo, rociar con aceite, salpimentar y frotar un poco para que el aliño penetre en el pescado. Asar 4-5 minutos hasta que la piel quede crujiente y los filetes estén hechos; no hace falta darles la vuelta.

3 Tostar el pan en la tostadora o la parrilla y untarlo con un poco de aceite de oliva. Colocar encima la salsa, la caballa y el jugo de la cocción y servir inmediatamente.

• Cada ración contiene: 471 kcal, 25 g de proteínas, 35 g de carbohidratos, 27g de grasa, 5 g de grasas saturadas, 3 g de fibra, 11 g de azúcar añadido y 0,97 g de sal.

Una sabrosa salsa hecha con ingredientes de los que siempre hay en casa transformará un solomillo de cerdo en un plato especial con la mínima expresión de sal y de grasas saturadas.

Solomillo con jarabe de arce y manzana

600 g de solomillo de cerdo
1 cucharada de aceite de oliva
2 manzanas cortadas en octavos
1 diente de ajo machacado
2 cucharadas de jarabe de arce
1 cucharada de vinagre de vino blanco
2 cucharadas de mostaza rústica
arroz para acompañar (opcional)

20 minutos • 4 raciones

1 Cortar el cerdo en trozos de 3 cm de grosor. Calentar el aceite en una sartén grande no adherente y dorar la carne por ambos lados, unos 5 minutos. Sacarla de la sartén y reservarla. Agregar la manzana troceada y dejarla 3-4 minutos para que se ablande un poco.

2 Añadir el ajo, el jarabe de arce, el vinagre y 3 cucharadas de agua, llevar la mezcla a ebullición y poner de nuevo el solomillo con su jugo en la sartén. Dejar a fuego lento unos minutos, dándole unas vueltas hasta que el cerdo esté hecho y la salsa esté espesa y untuosa. Incorporar la mostaza y servir.

• Cada ración contiene: 303 kcal, 34 g de proteínas, 13 g de carbohidratos, 13 g de grasa, 4 g de grasas saturadas, 1 g de fibra, 12 g de azúcar añadido y 0,52 g de sal.

A diferencia de la mayoría de los platos Tex-Mex, estos filetes de pescado son bajos en grasas saturadas y en sal. Se sirven con arroz esponjoso, tacos o tortillas asadas.

Filetes de pescado Tex-Mex

4 filetes de pescado blanco sin espinas, de unos 150 g cada uno
2 cucharadas de especias para fajitas o Tex Mex
2 cucharadas de aceite de girasol
200 g de guacamole
un puñado de hojas de cilantro frescas y troceadas
gajos de lima

15 minutos • 4 raciones

1 Pasar el pescado por los condimentos y reservar. Calentar el aceite en una sartén plana y freír el pescado 3-4 minutos por cada lado hasta que esté crujiente.

2 Servir los filetes con una cucharada de guacamole encima, espolvoreados con cilantro y acompañados de un gajo de lima para exprimir.

• Cada ración contiene: 245 kcal, 27 g de proteínas, 2 g de carbohidratos, 14 g de grasa, 2 g de grasas saturadas, 1 g de fibra, 1 g de azúcar añadido y 0,54 g de sal.

Siempre debería haber lentejas en la despensa. Son versátiles, una fuente de proteínas y de gran valor nutritivo. Una receta rápida y muy sana, baja en grasas y fuente de omega 3.

Salmón con puerros y lentejas

2 puerros limpios y cortados en 4 o 5 pedazos
2 filetes de salmón sin piel, de unos 100 g cada uno
400 g de lentejas en conserva, escurridas y enjuagadas con agua caliente
4 cucharadas de salsa vinagreta con bajo contenido en grasa
dos puñados de espinacas de hoja pequeña

20 minutos • 2 raciones

1 Hervir 10 minutos los puerros al vapor para que se ablanden, colocar luego el salmón encima y dejarlo 5 minutos más hasta que esté hecho.

2 Mientras se cuecen al vapor los puerros y el salmón, mezclar en un cuenco las lentejas con casi toda la salsa vinagreta y terminar de sazonar. Una vez cocido el salmón, apartarlo y reservarlo. Mezclar los puerros, las lentejas y las hojas de espinaca y darles varias vueltas. Dividir la ensalada de lentejas en dos platos, colocar el salmón encima y verter el resto de la vinagreta por encima.

• Cada ración contiene: 322 kcal, 32 g de proteínas, 21 g de carbohidratos, 13 g de grasa, 2 g de grasas saturadas, 7 g de fibra, 5 g de azúcar añadido y 2,02 g de sal.

Sabroso y ligero plato veraniego, bajo en grasas saturadas y en sal. Si se dispone de tiempo, dejar el pollo en adobo en el frigorífico durante un día para que los sabores operen su magia.

Pollo a la brasa con lima

4 pechugas de pollo con piel y deshuesadas
1 cucharadita de pimienta negra en grano
1 raíz de jengibre fresco de 3 cm
2 dientes de ajo
1 cucharada de salsa de soja
la ralladura de 1 lima, el zumo de 2 y unos gajos para acompañar

30 minutos, más 10 de adobo
• 4 raciones

1 Hacer tres cortes en cada pechuga y colocarlas en un plato plano. Machacar la pimienta en un mortero. Rallar bien el jengibre, aplastar el ajo y mezclarlo todo con la pimienta, la salsa de soja, la ralladura y el zumo de lima. Mezclar bien, echar sobre las pechugas y dejarlas con este adobo en el frigorífico como mínimo 10 minutos (mejor toda la noche).

2 Calentar una parrilla o una plancha y asar las pechugas 6-8 minutos por cada lado hasta que estén hechas. También puede asarse con brasas; se empleará el mismo tiempo aunque con cuidado de que el fuego no sea demasiado intenso. Pasar el pollo a una fuente para servir, rociar con el jugo de la cocción y acompañar con unos gajos de lima para exprimir.

• Cada ración contiene: 225 kcal, 37 g de proteínas, 2 g de carbohidratos, 8 g de grasa, 2 g de grasas saturadas, 0 g de fibra, 1 g de azúcar añadido y 0,87 g de sal.

Un vigorizante plato con una salsa muy poco grasa y un extraordinario sabor, que nos proporciona además dos raciones de las 5 raciones verdes del día.

Espaguetis picantes con setas al ajillo

2 cucharadas de aceite de oliva
250 g de setas de chopo troceadas
1 diente de ajo finamente laminado
1 puñado pequeño de hojas de perejil
1 cebolla muy picada
1 tallo de apio picado
400 g de tomate triturado
½ guindilla roja sin semillas y picada (o copos de guindilla seca)
300 g de espaguetis

25 minutos • 4 raciones

1 Calentar una cucharada de aceite en una sartén, freír a fuego vivo las setas durante 3 minutos para que se doren y se ablanden. Añadir el ajo, dejarlo 1 minuto y pasarlo a un cuenco junto con el perejil y reservar.

2 Añadir a la sartén el resto del aceite, la cebolla y el apio y dejar 5 minutos hasta que adquieran un poco de color. Incorporar el tomate, la guindilla, una pizca de sal y llevar a ebullición. Bajar el fuego y dejar la salsa 10 minutos sin tapar para que tome cuerpo.

3 Mientras tanto, hervir los espaguetis siguiendo las instrucciones del envase y escurrir. Incorporarlos a la salsa, añadir las setas al ajillo y servir.

• Cada ración contiene: 346 kcal, 12 g de proteínas, 62 g de carbohidratos, 7 g de grasa, 1 g de grasas saturadas, 5 g de fibra, 7 g de azúcar añadido y 0,35 g de sal.

Una suculenta cena a base de cerdo bajo en grasa y sal, que se prepara en 15 minutos. Un plato delicioso si se acompaña con patatas hervidas o en puré para que absorban la salsa.

Medallones de cerdo al zumo de clementina

2 cucharadas de aceite de girasol
4 medallones de cerdo magro de unos 100 g cada uno
200 g de champiñones en láminas
2 cucharaditas de pimentón
2 cucharadas de gelatina de grosella
50 ml de zumo (aproximadamente 2 clementinas)
1 cucharada de vinagre de vino tinto

15 minutos • 4 raciones

1 Calentar una cucharada de aceite en una sartén y dorar el cerdo por ambos lados (tiene que quedar poco hecho por dentro). Sacar la carne de la sartén y reservar. Añadir el aceite restante y freír los champiñones para ablandarlos.
2 Pasar de nuevo la carne a la sartén, sazonar con el pimentón y añadir la gelatina de grosella, el zumo de clementina y el vinagre de vino tinto. Llevar a ebullición removiendo para que se disuelva la gelatina. Dejar unos 5 minutos a fuego lento para que la carne y los champiñones queden tiernos. A media cocción, darle la vuelta a los medallones.

• Cada ración contiene: 207 kcal, 24 g de proteínas, 7 g de carbohidratos, 10 g de grasa, 2 g de grasas saturadas, 1 g de fibra, 6 g de azúcar añadido y 0,17 g de sal.

La cocción al vapor es una de las formas más saludables de cocinar. Esta receta de intenso sabor y pocas calorías, es una fuente de omega 3 y proporciona una de las 5 raciones verdes recomendadas al día.

Perca al vapor estilo chino con verduras

2 filetes de perca u otro pescado blanco de captura sostenible de unos 100 g cada uno
1 guindilla roja o verde sin semillas y finamente picada
1 cucharadita de raíz de jengibre fresco finamente picada
300 g de col cortada en tiras
2 cucharaditas de aceite de girasol
1 cucharadita de aceite de sésamo
2 dientes de ajo en láminas finas
2 cucharadas de salsa de soja con poca sal

20 minutos • 2 raciones

1 Espolvorear sobre el pescado la guindilla, el jengibre y un poco de sal. Cocer la col al vapor 5 minutos, poner el pescado encima y dejar que se haga al vapor otros 5 minutos.

2 Mientras tanto, calentar los aceites en una sartén y dorar ligeramente los dientes de ajo. Colocar la col y el pescado en los platos y rociar con la salsa de soja, el aceite y los ajos de la sartén.

• Cada ración contiene: 188 kcal, 23 g de proteínas, 8 g de carbohidratos, 8 g de grasa, 1 g de grasas saturadas, 4 g de fibra, 7 g de azúcar añadido y 0,74 g de sal.

Si se cuece el arroz y el pollo con el recipiente tapado se concentran los aromas. Un plato único que aporta hierro y vitamina C, y que ofrece dos de las 5 raciones verdes del día.

Pollo al limón con pilaf de coliflor

4 pechugas de pollo deshuesadas, con piel
1 cucharada de polvo de curry no muy picante (que contenga cúrcuma)
200 g de arroz basmati
500 ml de caldo de pollo
200 g de floretes de coliflor
200 g de judías verdes congeladas
1 limón cortado en rodajas
un puñadito de cilantro, tallos y hojas aparte, troceado

20 minutos • 4 raciones

1 Calentar una sartén o una cazuela grande y dorar el pollo con la piel hacia abajo. Añadir el curry en polvo y el arroz, dejarlo 1 minuto y echar el caldo.

2 Agregar la coliflor, las judías verdes, las rodajas de limón, tallos de cilantro y dar la vuelta al pollo. Llevar a ebullición y dejar con el recipiente tapado a fuego lento 10 minutos o hasta que el pollo y el arroz estén hechos. Salpimentar al gusto, espolvorear con las hojas de cilantro y servir.

• Cada ración contiene: 360 kcal, 41 g de proteínas, 45 g de carbohidratos, 3 g de grasa, 1 g de grasas saturadas, 3 g de fibra, 3 g de azúcar añadido y 0,77 g de sal.

Los intensos sabores de este guiso lo hacen adecuado para una noche de invierno. Es bajo en grasas saturadas y en sal y una buena fuente de vitamina C. Admite un chorrito de vino. Servir con polenta.

Estofado de buey a la italiana

1 cebolla troceada
1 diente de ajo laminado
2 cucharadas de aceite de oliva
300 g de filetes de buey cortados finos
1 pimiento amarillo sin pepitas y cortardo en tiras
400 g de tomate triturado
1 ramita de romero fresco con las hojas trituradas
un puñado de aceitunas negras sin hueso

30 minutos • 4 raciones

1 En una cazuela grande, dorar los filetes con el aceite durante 2 minutos. Retirar y reservar la carne. Añadir la cebolla y el ajo en la cazuela y dejarlos 5 minutos para que se ablanden. Agregar la pimienta, el tomate y el romero, y llevar a ebullición. Dejar 15 minutos a fuego lento para que se reduzca la salsa.
2 Poner la carne y las aceitunas en la cazuela, dejar la mezcla 2 minutos y servir

• Cada ración contiene: 225 kcal, 25 g de proteínas, 7 g de carbohidratos, 11 g de grasa, 3 g de grasas saturadas, 2 g de fibra, 6 g de azúcar añadido y 0,87 g de sal.

Compra unos cuantos ingredientes en la tienda de la esquina y prepara en un santiamén este ligero plato mediterráneo. Bajo en grasas saturadas y en sal, es un plato ideal que nos prepara para el verano.

Pasta con alcachofas y aceitunas al limón

400 g de espaguetis
la ralladura y el zumo de 1 limón
3 cucharadas de aceite de oliva
50 g de parmesano recién rallado
100 g de corazones de alcachofa en conserva, cortados si son grandes
un puñado de aceitunas negras
100 g de rúcula silvestre

15 minutos • 4 raciones

1 Echar la pasta en una olla grande con abundante agua hirviendo y dejarla al fuego según se indica en el envase.
2 Mientras tanto, mezclar las ralladuras y el zumo de limón con el aceite y el parmesano. Escurrir la pasta, reservando tres cucharadas del agua de la cocción, que se incorporan de nuevo al recipiente junto con la mezcla del limón, las alcachofas y las aceitunas. Calentar un instante, sazonar, añadir la rúcula y servir.

• Cada ración contiene: 528 kcal, 18 g de proteínas, 76 g de carbohidratos, 19 g de grasa, 4 g de grasas saturadas, 4 g de fibra, 4 g de azúcar añadido y 1,05 g de sal.

Una suave y fragante variación del curry clásico. Ideal para la fiambrera, con un elevado contenido en hierro y, además, nos proporciona dos de las 5 raciones verdes del día.

Pollo con curry, arroz y cebolla

2 pechugas de pollo deshuesadas y sin piel, de unos 140 g cada una
1 cucharada de aceite de girasol
2 cucharaditas de curry en polvo
1 cebolla roja grande cortada en tiras
100 g de arroz basmati
1 bastoncito de canela en rama
unas hebras de azafrán
1 cucharada de pasas
100 g de guisantes congelados
1 cucharada de menta fresca picada y otra de hojas de cilantro
4 cucharadas de yogur natural semidescremado

35 minutos • 2 raciones

1 Precalentar el horno a 190 ºC. Untar el pollo con una cucharadita de aceite y espolvorear con el curry. Empapar la cebolla con el resto del aceite. Poner el pollo y la cebolla en una sola capa en una fuente para horno. Cocerlo 25 minutos hasta que la carne esté hecha y la cebolla, que se habrá removido durante la cocción, esté crujiente.
2 Lavar el arroz y echarlo en un cazo con 300 ml de agua, junto con la canela, el azafrán y la sal. Llevarlo a ebullición, añadir las pasas y tapar. Dejarlo 10-12 minutos a fuego lento y añadir los guisantes a media cocción. Poner el arroz en dos platos con el pollo y la cebolla por encima. Mezclar las hierbas con el yogur y sazonar, antes de servir como acompañamiento.

• Cada ración contiene: 495 kcal, 45 g de proteínas, 63 g de carbohidratos, 9 g de grasa, 2 g de grasas saturadas, 5 g de fibra, 15 g de azúcar añadido y 0,39 g de sal.

El cordero al ajo y las especias se juntan en estas tortas crujientes, una variación turca de la pizza que contiene muy poca grasa. Un plato delicioso para acompañar con ensalada de tomate y pepino.

Tortas fragantes con cordero

250 g de masa de pan
1 cebolla fina picada
250 g de carne de cordero picada
1 diente de ajo machacado
1 cucharadita de comino molido y otra de cilantro
2 cucharadas de yogur natural
2 cucharadas de piñones
un puñado de menta fresca picada (o menta seca para espolvorear)

25 minutos • 4 raciones

1 Precalentar el horno a 220°C. Amasar el pan, dividir la masa por la mitad y estirarla formando 2 bases ovaladas. Pasarlas a una plancha para horno previamente espolvoreada con harina.
2 Mezclar en un cuenco la cebolla, la carne de cordero, el ajo, las especias y el yogur, y sazonar. Repartir la mezcla sobre la masa casi hasta sus extremos y esparcir los piñones por encima. Dejar 15-18 minutos en el horno hasta que la masa esté dorada y crujiente y la carne haya tomado color. Esparcir la menta por encima antes de servir.

• Cada ración contiene: 377 kcal, 22 g de proteínas, 47 g de carbohidratos, 12 g de grasa, 4 g de grasas saturadas, 3 g de fibra, 3 g de azúcar añadido y 1,24 g de sal.

Es probable que tengamos en la cocina la mayoría de los ingredientes de esta sustanciosa sopa. Es baja en azúcar y en grasas saturadas, aunque también puede servirse con picatostes.

Minestrone de invierno

2 cucharadas de aceite de oliva
1 cebolla troceada
100 gramos de panceta troceada
2 zanahorias grandes troceadas
2 tallos de apio troceados
1 patata mediana pelada y troceada
2 dientes de ajo picados o machacados
400 g de tomate triturado en lata
1 litro de caldo de verdura
2 cucharaditas de hojas de salvia picadas o 1 cucharadita de salvia seca
unas hojas de col (de cualquier tipo) en juliana
400 g de judías verdes en conserva
un puñado de perejil picado
servir con picatostes o pan crujiente (opcional)

55 minutos • 4 raciones

1 Calentar el aceite de oliva en una cacerola grande y freír la cebolla y la panceta unos 5 minutos hasta que empiecen a dorarse. Añadir la zanahoria, el apio, las patatas y el ajo, remover y dejar unos minutos al fuego.

2 Añadir el tomate, el caldo y la salvia, y llevar a ebullición dándole unas vueltas. Bajar el fuego, dejar cocer a fuego lento 15 minutos, añadir la col y rehogar 15 minutos más la cocción. Lavar las judías y añadirlas a la sopa junto con el perejil. Salpimentar y servir con picatostes o pan crujiente si apetece.

• Cada ración contiene: 274 kcal, 13 g de proteínas, 28 g de carbohidratos, 13 g de grasa, 3 g de grasas saturadas, 8 g de fibra, 12 g de azúcar añadido y 2,56 g de sal.

Unos veraniegos pimientos rellenos con aire mexicano serán una sabrosa cena baja en grasa para cualquier día entre semana. Elige pimientos de base plana para poderlos colocar derechos en el horno.

Pimientos con pollo y salsa mexicana

150 g de arroz rojo de la Camarga (o bien arroz integral)
4 pimientos rojos grandes
aceite para untar
1 tarro de 250 g de salsa mexicana
200 g de pollo cocido y picado
200 g de judías pintas en conserva, escurridas
40 g de queso cheddar curado y rallado
20 g de cilantro con las hojas picadas
unos gajos de lima para rociar
ensalada de aguacate (opcional)

40 minutos • 4 raciones

1 Hervir el arroz 25 minutos para que quede tierno. Precalentar mientras tanto el horno a 220°C.
2 Cortar la parte superior de los pimientos y quitarles las semillas. Untarlos ligeramente con aceite y asarlos 12 minutos al horno.
3 Escurrir el arroz y mezclarlo con la salsa mexicana, el pollo, las judías, el cheddar y el cilantro. Sazonar al gusto. Retirar los pimientos y rellenarlos con la mezcla anterior. Taparlos con la parte superior y dejarlos 10 minutos más en el horno. Exprimir unos gajos de lima por encima y servir con ensalada de aguacate.

• Cada ración contiene: 370 kcal, 24 g de proteínas, 50 g de carbohidratos, 10 g de grasa, 4 g de grasas saturadas, 5 g de fibra, 15 g de azúcar añadido y 1,65 g de sal.

El curry y el cilantro fresco convierten estas magras hamburguesas de pavo en un plato muy sabroso y especial.

Hamburguesas de pavo con especias

500 g de carne picada de pavo
½ cebolla grande rallada
1 diente de ajo machacado
2 cucharaditas de curry de Madrás en polvo
un puñado de cilantro fresco picado
1 yema de huevo
1 cucharada de aceite de girasol
4 panecillos para hamburguesas
ensalada y chutney de mango o encurtido de lima para acompañar

20 minutos • 4 raciones

1 Mezclar en un cuenco grande la carne picada de pavo, la cebolla, el ajo, el curry en polvo, el cilantro y la yema de huevo con una pizca de sal y pimienta. Remover bien los ingredientes con las manos y formar cuatro hamburguesas.

2 Calentar el aceite a temperatura alta en una sartén y freír las hamburguesas 5 minutos por cada lado. Partir los panecillos y tostarlos por la parte abierta. Poner la ensalada en la base de los panecillos y las hamburguesas y el chutney o la lima encurtida encima.

• Cada ración contiene: 318 kcal, 34 g de proteínas, 26 g de carbohidratos, 9 g de grasa, 2 g de grasas saturadas, 2 g de fibra, 2 g de azúcar añadido y 0,95 g de sal.

El atún combina estupendamente con el jengibre, el ajo y la soja. Un plato supersaludable, ideal para la cena de los niños, con alto contenido en omega 3 y bajo en grasas saturadas y en sal.

Hamburguesas de atún con sabor marino

200 g de atún fresco en filetes
1 diente de ajo muy picado
1 trocito de raíz de jengibre fresco, pelado y picado
1 cucharada de salsa de soja
1 puñado de hojas de cilantro picadas
1 cucharada de aceite de girasol
panecillos para hamburguesa, hojas de lechuga, tomate y aguacate en lonchas finas para servir

25 minutos • 2 raciones

1 Cortar los filetes de atún en trocitos y picarlos bien. Mezclar el atún con el ajo, el jengibre, la salsa de soja y el cilantro. Formar dos hamburguesas, ponerlas en un plato y dejarlas 5 minutos en el congelador para que se aglutinen sus componentes.

2 Calentar el aceite en una sartén antiadherente, pasar las hamburguesas 1-2 minutos por cada lado o hasta que alcancen el punto de cocción deseado. Partir los panecillos, tostarlos y servir las hamburguesas en su interior sobre un lecho de lechuga, tomate y aguacate.

• Cada hamburguesa (sin el panecillo) contiene: 97 kcal, 12 g de proteínas, 1 g de carbohidratos, 5 g de grasa, 1 g de grasas saturadas, 0 g de fibra, 0 g de azúcar añadido y 0,74 g de sal.

Hay algo muy reconfortante en las setas. En esta receta acompañan un pescado blanco y crean un plato exquisito con bajo contenido en grasas. Puedes servirlo con verdura.

Pescado con setas al ajillo

- 1 cucharada de aceite de oliva
- 3 dientes de ajo machacados
- 250 g de setas de chopo en láminas finas
- un puñadito de hojas de perejil troceadas
- 4 filetes de pescado, del tipo bacalao o abadejo, de 150 g
- 1 rebanada gruesa de pan blanco o integral desmigado
- 50 g de cheddar rallado

20 minutos • 4 raciones

1 Calentar el aceite en una cazuela, freír el ajo y las setas de chopo 5 minutos para que se ablanden sin dorarse. Añadir el perejil y remover. Reservar.

2 Poner el pescado en la cazuela, salpimentar y echar la mezcla de ajo y setas por encima.

3 Precalentar al máximo el gratinador. Apartar el pescado del fuego, espolvorearlo con la miga del pan y el queso, y ponerlo 5 minutos a gratinar o hasta que el pescado quede desmenuzado en láminas.

• Cada ración contiene: 227 kcal, 31 g de proteínas, 7 g de carbohidratos, 9 g de grasa, 3 g de grasas saturadas, 1 g de fibra, 1 g de azúcar añadido y 0,6 g de sal.

He aquí la salsa más sencilla del mundo, con pocas grasas saturadas y un mínimo de sal, y que queda también de maravilla si se prepara con pollo o gambas.

Pescado con tomate y tomillo

1 cucharada de aceite de oliva
1 cebolla picada
400 g de tomate triturado
1 cucharadita colmada de azúcar moreno
unas ramitas de tomillo fresco sin los tallos
1 cucharada de salsa de soja
4 filetes de pescado blanco de pesca sostenible

20 minutos • 4 raciones

1 Calentar el aceite en una sartén y freír 5-8 minutos la cebolla para que se dore ligeramente. Añadir el tomate, el azúcar, el tomillo y la salsa de soja y llevar a ebullición.
2 Dejar 5 minutos a fuego lento, añadir con cuidado el pescado, tapar el recipiente y dejarlo 8-10 minutos hasta que se deshaga un poco en láminas. Servir con patatas al horno o al vapor.

• Cada ración contiene: 172 kcal, 27 g de proteínas, 7 g de carbohidratos, 4 g de grasa, 1 g de grasas saturadas, 1 g de fibra, 6 g de azúcar añadido y 1,1 g de sal.

Esta receta combina con cualquier tipo de col y puede acompañar carne o pescado. Con alto contenido en vitamina C y ácido fólico, ofrece dos de las 5 raciones diarias de verdura.

Verduras con especias indias

1 cucharada de aceite vegetal
1 cucharadita de semillas de comino
½ cucharadita de semillas de mostaza negra
4 guindillas verdes sin semillas, picadas muy finas
un buen trozo de raíz de jengibre rallado
½ cucharadita de cúrcuma
500 g de verduras troceadas
100 g de guisantes congelados
el zumo de 1 limón
½ cucharadita de cilantro molido
1 ramillete de cilantro troceado
2 cucharadas de coco rallado sin azúcar

20 minutos • 4 raciones

1 Calentar el aceite en una sartén antiadherente grande o en un wok, saltear las semillas de comino y de mostaza 1 minuto y añadir la guindilla, el jengibre y la cúrcuma. Dejar en el fuego hasta que desprenden aroma y añadir las verduras, una pizca de sal, un poquitín de agua y los guisantes. Cubrir y dejar 4-5 minutos hasta que las verduras pierdan tersura.
2 Añadir el zumo de limón, el cilantro molido, la mitad del cilantro fresco, la mitad del coco rallado y mezclar bien. Colocar en una fuente para servir y espolvorear con el resto del coco y del cilantro.

• Cada ración contiene: 117 kcal, 5 g de proteínas, 9 g de carbohidratos, 7 g de grasa, 3 g de grasas saturadas, 5 g de fibra, 6 g de azúcar añadido y 0,03 g de sal.

Esta receta hecha al horno, un cruce entre dos clásicos franceses, patatas a la delfinesa y a la panadera, es excelente para acompañar cualquier asado y tiene un alto contenido en vitamina C.

Patatas, puerros y beicon al horno

600 ml de caldo de verduras o de pollo
1 kg de patatas harinosas cortadas en láminas finas
6 puerros limpios sin la parte verde, en rodajas
25 g de mantequilla
3-4 lonchas de beicon troceadas
3 cucharadas de nata espesa (opcional)

1 hora • 8 raciones

1 Precalentar el horno a 200 °C. Poner el caldo en un recipiente grande, llevarlo a ebullición y echar las patatas y los puerros. Dejar hervir 5 minutos, escurrir y reservar el caldo.
2 Mientras tanto, untar ligeramente una fuente de horno. Colocar las patatas y los puerros, salpimentar y esparcir el beicon por encima. Añadir 150 ml del caldo reservado y la nata (si se utiliza) y tapar el recipiente con papel de aluminio. Dejar 20 minutos en el horno.Destapar y seguir la cocción 20 minutos más hasta que el beicon esté crujiente.

• Cada ración (sin nata) contiene: 153 kcal, 5 g de proteínas, 24 g de carbohidratos, 5 g de grasa, 2 g de grasas saturadas, 4 g de fibra, 3 g de azúcar añadido y 0,35 g de sal.

El pimiento asado es una guarnición ideal, baja en grasas y en sal, para acompañar un pollo o un pescado al horno.

Pimientos y tomates asados con aceitunas al comino

4 pimientos rojos sin semillas
y cortados en trozos grandes
3 cucharadas de aceite de oliva
600 g de tomates cherry en rama
(o bien tomates pequeños partidos)
1 cucharadita de semillas de comino
100 g de aceitunas verdes grandes

40 minutos • 6 raciones

1 Precalentar el horno a 200°C. Colocar los pimientos en una fuente para el horno (o una sartén resistente) y rociarlos con dos cucharadas de aceite. Salpimentar y dejar unos 20 minutos en el horno para que se ablanden un poco.
2 Retirar la fuente, colocar los tomates en rama entre los pimientos, espolvorear el conjunto con el comino, rociar con el resto del aceite, sazonar un poco más, meterlo todo de nuevo en el horno y dejar asar las hortalizas unos 10 minutos más o hasta que empiece a abrirse la piel de los tomates. Añadir las aceitunas antes de servir el plato, caliente o frío.

• Cada ración contiene: 116 kcal, 2 g de proteínas, 10 g de carbohidratos, 8 g de grasa, 1 g de grasas saturadas, 3 g de fibra, 9 g de azúcar añadido y 0,81 g de sal.

Un sabroso acompañamiento para una comida o una cena de verano, con mucha fibra y vitamina C, que además proporciona cuatro de las 5 raciones verdes del día.

Ratatouille

- 2 pimientos rojos o amarillos
- 4 tomates grandes maduros
- 5 cucharadas de aceite de oliva
- 2 berenjenas grandes troceadas
- 4 calabacines pequeños en rodajas gruesas
- 1 cebolla mediana cortada fina
- 3 dientes de ajo machacados
- 1 cucharada de vinagre de vino tinto
- 1 cucharadita de azúcar
- 1 ramillete de albahaca con las hojas troceadas

45 minutos • 4 raciones

1 Pelar los pimientos con un pelapatatas, quitarles las semillas y trocearlos. Hacer una pequeña cruz en la base de cada tomate, sumergirlos 20 segundos en agua hirviendo y meterlos luego en un cuenco de agua fría. Pelarlos, quitarles las semillas y trocearlos.

2 En una sartén grande, calentar dos cucharadas de aceite de oliva y dorar las berenjenas durante 5 minutos para que se ablanden. Retirar de la sartén y, con otra cucharada de aceite, freír 5 minutos el calabacín. Añadir los pimientos, la cebolla y el ajo, y dejarlo 1 minuto más.

3 Agregar el vinagre, el azúcar, los tomates y la mitad de la albahaca. Incorporar las hortalizas, salpimentar, dejar 5 minutos en el fuego, esparcir por encima el resto de la albahaca y servir.

• Cada ración contiene: 241 kcal, 6 g de proteínas, 20 g de carbohidratos, 16 g de grasa, 2 g de grasas saturadas, 8 g de fibra, 18 g de azúcar añadido y 0,05 g de sal.

Una excelente guarnición para asados o guisos. Puedes prepararlo con antelación y recalentarlo antes de servir. Es bajo en grasas saturadas y en sal y proporciona dos de las 5 raciones de verduras al día.

Verduras de invierno gratinadas

500 g de zanahorias
1 apio nabo mediano
1 kg de patatas harinosas
5 cucharadas de aceite de oliva
1 diente de ajo picado
300 ml de caldo de verdura caliente
1 puñado de perejil picado para servir

1¼ horas • 8 raciones

1 Precalentar el horno a 190 °C. Pelar las zanahorias, el apio nabo y las patatas, y cortar todo en rodajas finas a mano o con la hoja del robot sin mezclar las hortalizas.

2 Disponer la mitad de las patatas en una fuente para el horno y rociar con una cucharada del aceite y un poco de ajo. Cubrirlas con el apio nabo y esparcir más aceite y ajo. Añadir las zanahorias y más aceite y ajo. Ir sazonando cada capa. Cubrir finalmente con las patatas restantes y rociar con aceite.

3 Verter el caldo y cubrir bien la fuente con papel de aluminio. Dejarla en el horno 45 minutos, quitar el papel y seguir con la cocción 35-45 minutos más o hasta que los vegetales estén tiernos y dorados. Si se ha preparado con anterioridad, recalentar en el horno 15-20 minutos. Espolvorear con perejil antes de servir.

• Cada ración contiene: 173 kcal, 4 g de proteínas, 23 g de carbohidratos, 8 g de grasa, 1 g de grasas saturadas, 5 g de fibra, 6 g de azúcar añadido y 0,41 g de sal.

Una ensalada sofisticada que puede duplicarse con facilidad si hay invitados. Servir este plato saludable en días soleados. Contiene mucha vitamina C, ácido fólico y fibra.

Ensalada de pollo con naranja

150 g de judías verdes con las puntas recortadas
1 aguacate grande
100 g de berros troceados
1 bulbo de hinojo en láminas
2 naranjas
2 cucharadas de aceite de oliva
2 pechugas de pollo cocidas, deshuesadas, sin piel y cortadas en tiras

15 minutos • 2 raciones

1 Hervir las judías verdes en un recipiente grande con suficiente agua salada unos 4-5 minutos. Escurrir, pasar por agua fría y colocar en un cuenco para servir.
2 Pelar y cortar en medias lunas el aguacate y añadirlo a las judías, junto con los berros y el hinojo. Pelar las naranjas, cortarlas en gajos y agregarlas al conjunto. Exprimir el zumo de la naranja restante en una tacita y mezclarlo con el aceite de oliva para elaborar el aliño. Rociar con él la ensalada, disponer sobre el pollo y servir.

• Cada ración contiene: 572 kcal, 45 g de proteínas, 19 g de carbohidratos, 36 g de grasa, 5 g de grasas saturadas, 10 g de fibra, 17 g de azúcar añadido y 0,30 g de sal.

Prueba esta receta para una cena ligera y con bajo contenido en grasa. Si les añades unos espaguetis al huevo, tendrás una ensalada más consistente.

Ensalada picante de pollo con brócoli

2 brócolis cortados en floretes
2 cucharadas de aceite de oliva
5 chalotas o una cebolla grande en aros finos
2 guindillas rojas, sin semillas y picadas
2 dientes de ajo en láminas
un puñado de aceitunas negras sin hueso
4 pechugas de pollo asado troceadas
4 cucharadas de salsa de soja

25 minutos • 4 raciones

1 Cocer el brócoli al vapor 4 minutos para que pierda la dureza, pasarlo a un cuenco grande y sazonar. Mientras tanto, calentar el aceite en una sartén y saltear las chalotas o la cebolla 2 minutos. Añadir la guindilla y el ajo y dejar 4 minutos más en el fuego. Retirar las chalotas, la guindilla y el ajo con una espumadera y mezclar con el brócoli, las aceitunas y el pollo en un cuenco.

2 Verter la salsa de soja en la sartén, calentarla a fuego medio y echarla luego por encima de la ensalada. Puede comerse caliente o fría.

• Cada ración contiene: 291 kcal, 42 g de proteínas, 4 g de carbohidratos, 12 g de grasa, 2 g de grasas saturadas, 3 g de fibra, 3 g de azúcar añadido y 3,05 g de sal.

Un plato con alto contenido en fibra que ofrece las 5 raciones verdes diarias. Las hortalizas absorben todo el aroma de la salsa si se aliñan tibias.

Hortalizas asadas con pesto

3 nabos pelados y troceados
2 cebollas rojas troceadas
2 pimientos rojos sin semillas y troceados
1 calabaza moscada pequeña, pelada y troceada
2 cucharadas de aceite de oliva o de girasol
1 diente de ajo machacado
4 cucharadas de pesto de albahaca
100 g de hojas de espinacas pequeñas
2 cucharadas de piñones tostados

45 minutos • 4 raciones

1 Precalentar el horno a 230 °C. Colocar todas las hortalizas en una bandeja para el horno con el aceite y el ajo, salpimentar y mezclar con las manos para que todo quede bien untado. Asar 30 minutos o hasta que los ingredientes se doren y estén tiernos.

2 Dejar enfriar un poco, pasar a un cuenco grande y mezclar con el pesto de albahaca y las hojas de espinacas y servir con los piñones.

• Cada ración contiene: 306 kcal, 10 g de proteínas, 35 g de carbohidratos, 15 g de grasa, 3 g de grasas saturadas, 10 g de fibra, 20 g de azúcar añadido y 0,32 g de sal.

Una ensalada de pepino de inspiración asiática, fresca y picante, indispensable para las barbacoas. Deliciosa con pollo o con un filete a la parrilla.

Ensalada picante de pepino

1 pepino grande pelado
1 cucharadita de azúcar moreno
1 cucharada de vinagre de arroz o de vino blanco
2 cucharadas de salsa de soja
1 cucharada de aceite de sésamo
1 trocito de raíz de jengibre fresco muy picada
2 dientes de ajo muy picados
1 guindilla roja grande partida por la mitad, sin semillas y en aros finos
2 cebollas tiernas cortadas en tiras
un puñado de hojas de cilantro
pollo a la parrilla para servir (opcional)

35 minutos • 4 raciones

1 Partir el pepino por la mitad a lo largo, quitarle las semillas con una cuchara y desecharlas. Cortarlo en trozos gruesos en diagonal y ponerlos en un cuenco con el azúcar, el vinagre y una buena pizca de sal. Dejar unos 30 minutos en el frigorífico.

2 Mientras tanto, poner el resto de los ingredientes en un cuenco. Escurrir el pepino del adobo y pasarlo al cuenco. Servir con pollo a la parrilla o con la carne o pescado que más apetezca.

• Cada ración contiene: 238 kcal, 33 g de proteínas, 5 g de carbohidratos, 9 g de grasa, 2 g de grasas saturadas, 1 g de fibra, 4 g de azúcar añadido y 2,17 g de sal.

Servir las berenjenas como entrante, como guarnición de un plato de carne o en bocadillo. Un plato bajo en grasas saturadas.

Berenjenas a la parrilla con yogur y menta

4 berenjenas pequeñas en rodajas de 1 cm de grosor
2 cucharadas de aceite de oliva
150 g de yogur natural
el zumo de ½ limón
2 dientes de ajo machacados
un manojito de hojas de menta troceadas

45 minutos • 4 raciones

1 Rociar las rodajas de berenjena con aceite de oliva, salpimentar y poner en un cuenco. Calentar la parrilla y pasar las berenjenas por ambos lados, por tandas, para que queden asadas. Dejar que se enfríen ligeramente.
2 Mientras tanto, mezclar el yogur, el zumo de limón, el ajo y la menta en un cuenco y sazonar al gusto. Rociar por encima de las berenjenas asadas la mezcla del yogur y servir a temperatura ambiente.

• Cada ración contiene: 105 kcal, 4 g de proteínas, 8 g de carbohidratos, 7 g de grasa, 1 g de grasas saturadas, 4 g de fibra, 6 g de azúcar añadido y 0,33 g de sal.

Este plato asiático es crujiente, aromático y colorido. Es perfecto como acompañamiento y muy saludable por su contenido en vitamina C y ácido fólico, por ser bajo en sal y en grasas saturadas.

Brócoli con anacardos y salsa de ostras

1 cucharada de aceite de girasol
100 g de anacardos sin sal
2 brócolis cortados en floretes
3 cucharadas de salsa de ostras, o más, según se prefiera

25 minutos • 6 raciones

1 Calentar una parte del aceite en un wok y dorar los anacardos. Retirar. Añadir el resto del aceite en el wok y saltear 2-3 minutos el brócoli para que se intensifique su color verde (debe mantenerse intacta su tersura).

2 Añadir una pizca de agua en el wok, cubrirlo y dejarlo 4 minutos en el fuego o hasta que pueda hundirse la punta de un cuchillo en el brócoli. Apartarlo hacia un lado en el mismo wok y verter la salsa de ostras en el otro lado. Cuando hierva, mezclar con el brócoli. Agregar los anacardos y servir con pescado o pollo cocinados de forma sencilla y un poco de arroz o fideos hervidos.

• Cada ración contiene: 156 kcal, 8 g de proteínas, 6 g de carbohidratos, 11 g de grasa, 1 g de grasas saturadas, 4 g de fibra, 4 g de azúcar añadido y 0,82 g de sal.

Una ensalada sin nada que se ponga mustio, por tanto, ideal para llevar fuera de casa, para una comida campestre con poca grasa o una cena en la que cada invitado contribuye con un plato.

Fideos salteados en ensalada

4 madejitas de fideos al huevo
4 cucharadas de aceite de sésamo
2 pimientos rojos cortados finos
2 zanahorias en bastoncitos
1 trozo de jengibre fresco picado
2 dientes de ajo picados
4 hojas de limas kaffir
1 manojo de cebolletas en aros finos
6 cucharadas de salsa de soja
dos puñados de alubias germinadas
250 g de tofu en dados
un puñado de cilantro, con los tallos muy picados y las hojas troceadas

PARA EL ALIÑO
150 ml de vinagre de arroz
2 brotes de hierba limón
1 trocito (1/3) de guindilla roja fresca
2 cucharadas de azúcar moreno
4 hojas de limas kaffir troceadas

25 minutos • 6 raciones

1 Preparar el aliño. Hervir todos los ingredientes en un cazo durante 1 minuto y retirar del fuego para que se impregnen.
2 Hervir los fideos según las instrucciones, escurrir y rociar con 3 cucharadas de aceite de sésamo. Dejar enfriar, removiendo de vez en cuando.
3 Saltear en un wok con el resto del aceite el pimiento, la zanahoria, el jengibre y el ajo durante 1 minuto y apartar del fuego.
4 Poner en un cuenco los fideos y el aliño. Añadir las hojas de lima kaffir cortadas. Reservar unas hojas de cilantro para decorar.

• Cada ración contiene: 301 kcal, 10 g de proteínas, 44 g de carbohidratos, 11 g de grasa, 1 g de grasas saturadas, 3 g de fibra, 14 g de azúcar añadido y 3,35 g de sal.

Los colores y sabores frescos de esta ensalada son de lo más veraniego y proporcionan una de las 5 raciones verdes del día.

Ensalada verde con gambas, lima y guindilla

350 g de gambas grandes sin cabeza, hervidas y con caparazón
2 aguacates
un puñado de hojas de albahaca
150 g de hojas de ensalada variadas
gajos de lima para servir

PARA EL ALIÑO
2 cucharadas de zumo de lima recién exprimido
2 cucharaditas de miel clara
1 guindilla roja sin semillas y picada
3 cucharadas de aceite de oliva suave

25 minutos • 4 raciones

1 Pelar las gambas dejando las colas intactas, lavar y secar con un paño. Poner los ingredientes del aliño en un bol y batir bien para mezclarlos.
2 Una hora antes de servir el plato, pelar los aguacates, quitarles el hueso, cortarlos en medias lunas y ponerlos en el cuenco con la mitad del aliño. Mezclar con cuidado y empaparlos (así se evita que se pongan oscuros).
3 Picar la albahaca, añadirla al cuenco junto con las gambas y mezclar con cuidado.
4 Esparcir la mezcla de ensalada verde en una fuente, colocar por encima la mezcla de gambas, el aguacate y la albahaca. Rociar el conjunto con el aliño y servir con los gajos de lima para que cada cual añada el jugo a su gusto.

• Cada ración contiene: 266 kcal, 15 g de proteínas, 4 g de carbohidratos, 21 g de grasa, 3 g de grasas saturadas, 2 g de fibra, 12 g de azúcar añadido y 1,08 g de sal.

Esta ensalada baja en grasa y en sal puede servirse con pollo o pierna de cordero asados, o para acompañar una barbacoa.

Ensalada de cuscús y garbanzos

250 g de cuscús
1 cucharada de harisa
50 g de pasas
6 orejones de albaricoque cortados
400 g de garbanzos en conserva, escurridos y aclarados
3 cucharadas de piñones ligeramente tostados
el zumo de 1 limón
4 cucharadas de aceite de oliva

25 minutos • 6 raciones

1 Preparar el cuscús siguiendo las instrucciones del envase, añadiéndole la harisa, las pasas y los orejones con la cantidad de agua recomendada. Agregar los ingredientes restantes y tapar el recipiente 10 minutos o hasta que se haya absorbido el líquido. Remover la mezcla con un tenedor o mantenerla cubierta hasta el momento de servir.

• Cada ración contiene: 289 kcal, 7 g de proteínas, 38 g de carbohidratos, 13 g de grasa, 2 g de grasas saturadas, 3 g de fibra, 10 g de azúcar añadido y 0,29 g de sal.

Una original ensalada de patata, que combina bien con filetes de salmón o caballa ahumada. Es baja en grasas saturadas y sal y proporciona una de las 5 raciones verdes del día.

Ensalada de patatas y remolacha

- 500 g de patatas nuevas
- 4 cucharadas de aceite de oliva
- 1 cucharada de vinagre de vino blanco
- 2 dientes de ajo picados
- 1 cebolla roja muy picada
- 500 g de remolacha hervida cortada en dados
- 20 g de hojas de cilantro troceadas

35 minutos • 6 raciones

1 Hervir las patatas hasta que estén tiernas, unos 15 minutos, y cortarlas cuando aún estén tibias. Pueden comerse con o sin piel, según se prefiera.

2 Mientras tanto, mezclar el aceite, el vinagre, el ajo y la cebolla con la remolacha. Añadir las patatas y el cilantro. Puede prepararse el día anterior, con la condición de añadir el cilantro un momento antes de servir.

• Cada ración contiene: 171 kcal, 4 g de proteínas, 23 g de carbohidratos, 8 g de grasa, 1 g de grasas saturadas, 3 g de fibra, 9 g de azúcar añadido y 0,26 g de sal.

Una estimulante ensalada que proporciona tres de las 5 raciones verdes del día, contiene poca sal y un mínimo de grasas saturadas.

Ensalada asiática de col y gambas

½ col cortada en tiras
1 zanahoria grande toscamente rallada
100 g de rábanos laminados
2 generosos puñados de alubias germinadas
un puñado de anacardos
un puñado de hojas frescas de cilantro
100 g de gambas cocidas

PARA EL ALIÑO
las ralladura y el zumo de una lima
1 cucharadita de azúcar
1 cucharada de aceite de sésamo
1 guindilla roja sin semillas y picada (opcional)
un trocito de jengibre fresco picado

15 minutos • 2 raciones

1 Mezclar todos los ingredientes del aliño, incluyendo la guindilla, si apetece, en un cuenco grande.
2 Incorporar el resto de los ingredientes, con excepción de las gambas, en el cuenco. Repartir la ensalada en dos platos y colocar por encima las gambas.

• Cada ración contiene: 334 kcal, 19,9 g de proteínas, 28,2 g de carbohidratos, 16,6 g de grasa, 2 g de grasas saturadas, 7,9 g de fibra, 24,2 g de azúcar añadido y 1 g de sal.

Los guisantes al dente son el contrapunto perfecto
al aderezo picante en esta ensalada baja en calorías y fácil de preparar.

Ensalada de jamón dulce con remolacha

100 g de guisantes congelados
175 g de remolacha cocida
2 cebollas tiernas en aros
2 cucharadas de yogur griego
2 cucharaditas de salsa wasabi
½ lechuga iceberg cortada en tiras
100 g de jamón dulce en lonchas finas cortadas en tiras

15 minutos • 2 raciones

1 Echar agua hirviendo sobre los guisantes, taparlos 2 minutos y escurrirlos. Cortar la remolacha en dados.

2 Poner los guisantes, la remolacha y la cebolla tierna en un cuenco y mezclar bien. Mezclar el yogur y la salsa wasabi en una tacita y añadir 1 cucharada de agua hirviendo para obtener una salsa ligera.

3 Repartir la lechuga en dos cuencos y rociarla con la salsa de wasabi y yogur. Añadir el resto de los ingredientes y coronar con las tiras de jamón dulce.

• Cada ración contiene: 166 kcal, 16 g de proteínas, 17 g de carbohidratos, 4 g de grasa, 2 g de grasas saturadas, 5 g de fibra, 13 g de azúcar añadido y 1,92 g de sal.

Cinco elementos que no suelen faltar en la despensa se juntan para crear este risotto suave, con poca grasa y aroma a limón. Los guisantes pueden sustituirse por espárragos de temporada.

Risotto con guisantes al limón

200 g de arroz para risotto
850 ml de caldo vegetal caliente
50 g de guisantes congelados
50 g de parmesano rallado y un poco más para servir
el zumo y la ralladura de ½ limón

30 minutos • 2 raciones

1 Calentar a fuego medio una cacerola grande y tostar durante 1 minuto el arroz removiendo constantemente. Añadir un cucharón lleno de caldo y remover hasta que el arroz lo absorba. Bajar el fuego. Ir añadiendo el resto del caldo a cucharones hasta que el arroz lo haya absorbido y esté en su punto, unos 20 minutos.

2 Añadir los guisantes, dejar 5 minutos y apartar el recipiente del fuego. Incorporar el queso y el zumo de limón, sazonar y remover. Poner por encima la ralladura del limón y servir enseguida espolvoreado con el parmesano rallado muy fino.

• Cada ración contiene: 477 kcal, 20 g de proteínas, 84 g de carbohidratos, 9 g de grasa, 5 g de grasas saturadas, 5 g de fibra, 4 g de azúcar añadido y 1,04 g de sal.

Para entrar en calor nada mejor que un cuenco de saludables lentejas con bajo contenido en grasas, mucha fibra, mucho hierro y cuatro de las 5 raciones verdes del día.

Lentejas rojas dal con nabo crujiente

- 1 cucharada de aceite de girasol y 1 cucharadita extra
- 2 cebollas picadas
- 200 g de lentejas rojas peladas, aclaradas
- 1-2 cucharadas de curry en polvo
- 400 g de tomates triturados
- 850 ml de caldo de verdura caliente
- 2 nabos

20 minutos • 4 raciones

1 Precalentar el horno a 200 °C. Calentar el aceite en una cacerola, añadir la cebolla y dejarla freír unos 2 minutos hasta que cambie un poco de color. Incorporar las lentejas, el curry en polvo, el tomate y el caldo. Llevar a ebullición. Reducir el fuego, tapar y mantener unos 10-12 minutos a fuego lento hasta que las lentejas estén hechas.

2 Pelar los nabos y laminarlos. Ponerlos con una cucharadita de aceite en una fuente del horno y dejarlos dorar unos 10 minutos para que estén crujientes. Repartir las lentejas dal en cuatro cuencos y servir con el nabo crujiente por encima.

• Cada ración contiene: 295 kcal, 16 g de proteínas, 48 g de carbohidratos, 6 g de grasa, 1 g de grasas saturadas, 9 g de fibra, 13 g de azúcar añadido y 0,5 g de sal.

El curry añade un toque exótico a las verduras en este plato único que se prepara en un soplo. Una buena fuente de vitamina C, baja en grasas, y que ofrece además dos de las 5 raciones verdes del día.

Curry de verduras con picante tailandés

1 cucharada de aceite de girasol
1 calabaza moscada pelada y troceada
1 cebolla cortada en aros
1 cucharada de pasta de curry rojo
50 g de crema de coco
250 gramos de judías verdes congeladas
acompañar con pan naan (opcional)

35 minutos • 4 raciones

1 Calentar el aceite en una cacerola. Añadir la calabaza y la cebolla y dejarlas unos 5 minutos para que se ablanden, sin dorarse. Agregar la pasta de curry y dejar 1 minuto más. Mezclar la crema de coco con 300 ml de agua hirviendo y verter en la cacerola. Llevar a ebullición y dejar a fuego lento 10 minutos.

2 Agregar las judías verdes al guiso y dejar 3-5 minutos más en el fuego para que se ablanden. Servir con pan naan caliente.

• Cada ración contiene: 178 kcal, 5 g de proteínas, 23 g de carbohidratos, 9 g de grasa, 4 g de grasas saturadas, 5 g de fibra, 13 g de azúcar añadido y 0,17 g de sal.

Las setas de chopo añaden un exquisito sabor a este plato de pasta con bajo contenido en grasa, ideal para toda la familia, que nos brinda una de las 5 raciones verdes del día.

Rigatoni con suculenta salsa de setas

20 g de setas secas
300 g de pastas tipo rigatoni
2 cucharaditas de aceite de oliva
1 cebolla roja muy picada
300 g de setas de chopo laminadas
unos brotes de tomillo fresco o 1 pizca de seco
1 cucharadita de concentrado de tomate

25 minutos • 4 raciones

1 Poner en remojo las setas secas en 200 ml de agua hirviendo. Hervir la pasta con abundante agua siguiendo las instrucciones del envase.
2 Mientras tanto, calentar el aceite en una cazuela, incorporar la cebolla y dejarla 5 minutos para que se ablande. Escurrir las setas remojadas y picarlas. Añadir en la cazuela las setas picadas y las frescas, el tomillo, el concentrado de tomate y 150 ml del agua de remojar de las setas, desechando el resto. Llevar el guiso a ebullición.
3 Bajar el fuego y dejar 5 minutos más para que se hagan las setas. Escurrir la pasta, incorporarla a la cazuela y mezclar bien con la salsa de setas.

• Cada ración contiene: 304 kcal, 11,9 g de proteínas, 59,8 g de carbohidratos, 3,6 g de grasa, 0,5 g de grasas saturadas, 4,2 g de fibra, 3,7 g de azúcar añadido y 0,06 g de sal.

Las 5 raciones verdes del día en un solo plato con esta cena a todo color. Un plato de pasta casi sin grasa y con mucha fibra, excelente también para la fiambrera del mediodía.

Pasta a la ratatouille asada

1 berenjena pequeña troceada
1 pimiento rojo sin semillas troceado
1 calabacín troceado
1 cebolla roja cortada en aros
2 dientes de ajo enteros con piel
1 cucharada de aceite de oliva
200 g de tomates maduros troceados
175 g de macarrones
un puñado de hojas de albahaca

45 minutos • 2 raciones

1 Precalentar el horno a 200 °C. Poner la berenjena, el pimiento, el calabacín, la cebolla y los ajos en una fuente de horno, regar con el aceite y salpimentar. Asar durante 20 minutos, añadir el tomate y dejar 10 minutos más.
2 Hervir la pasta, escurrir y reservar 4 cucharadas de agua. Incorporar la pasta, el agua y la albahaca a la mezcla de hortalizas. Sacar los ajos asados antes de servir.

• Cada ración contiene: 450 kcal, 15 g de proteínas, 83 g de carbohidratos, 9 g de grasa, 1 g de grasas saturadas, 9 g de fibra, 16 g de azúcar añadido y 0,07 g de sal.

Con unos huevos en la nevera siempre es posible preparar un buen plato. El huevo es una opción sana, y en esta receta, se combina con hortalizas variadas.

Curry con huevos

3 huevos
1 cebolla cortada en rodajas finas
1 cucharada de aceite vegetal
2 cucharadas de pasta de curry korma
200 g de judías verdes sin las puntas y partidas
200 g de hojas de espinacas pequeñas
200 g de tomates cherry
100 ml de leche de coco semidescremada
acompañar con pan naan o pita (opcional)

30 minutos • 2 raciones

1 Poner los huevos en un cazo con agua fría, llevarlos a ebullición y dejarlos 8 minutos en el fuego. Sacarlos del agua, dejarlos enfriar bajo el grifo de agua fría y quitarles la cáscara. Freír la cebolla con el aceite unos 5 minutos para que se ablande y se dore un poco, y añadir la pasta de curry y las judías verdes.

2 Agregar 200 ml de agua, tapar el recipiente y dejar 5 minutos a fuego lento. Incorporar las hojas de espinaca, los tomates y la leche de coco, y dejar un poco más en el fuego, dándole unas vueltas, hasta que las espinacas hayan perdido la tersura. Distribuir en dos platos, partir los huevos, colocarlos encima de las hortalizas y servir con pan naan o pan de pita tostados.

• Cada ración contiene: 351 kcal, 18 g de proteínas, 14 g de carbohidratos, 26 g de grasa, 8 g de grasas saturadas, 6 g de fibra, 10 g de azúcar añadido y 1.38 g de sal.

Con una capa de gruyère medio derretida y perfume de ajo, estas excepcionales y jugosas hamburguesas con un mínimo contenido en grasas gustarán a todos, vegetarianos o no.

Hamburguesas de setas portobello

4 setas portobello o champiñones de prado, sin los tallos
1 cucharadita de aceite de girasol
50 gramos de gruyère rallado
1 diente de ajo machacado
1 cucharada de mantequilla blanda
4 chapatas o panecillos para hamburguesa, cortados y tostados
lechuga, tomate y cebolla en aros para servir

20 minutos • 4 raciones

1 Poner el gratinador al máximo. Aceitar las setas, colocarlas en una bandeja de horno y asarlas 3 minutos por cada lado, hasta que estén tiernas pero sigan firmes.
2 Mezclar en un cuenco el queso, el ajo y la mantequilla. Salpimentar y extender por encima de las setas. Asar hasta que se funda el queso y colocar sobre los panecillos tostados, encima de unas hojas de lechuga.

• Cada ración contiene: 228 kcal, 11 g de proteínas, 23 g de carbohidratos, 11 g de grasa, 5 g de grasas saturadas, 3 g de fibra, 1 g de azúcar añadido y 1,05 g de sal.

Las pizzas que se compran preparadas nunca saben tan bien... ni sientan tan bien. Este es un plato con poca sal y casi sin grasas saturadas, que proporciona dos de las 5 raciones verdes del día.

Pizza a la sartén

1 pimiento amarillo sin semillas y troceado
1 calabacín en rodajas gruesas
1 cebolla roja cortada en cuñas
2 cucharadas de aceite de oliva y una cucharadita más para el aliño
250 g de harina con levadura
5 cucharadas de salsa de tomate fresco
50 g de cheddar curado y rallado

45 minutos • 4 raciones

1 Precalentar el horno a 220 °C. Colocar el pimiento, el calabacín y la cebolla en una bandeja de horno y rociar con una cucharadita de aceite de oliva. Asar 20 minutos o hasta que las hortalizas empiecen a dorarse. Reservar.

2 Encender el gratinador a fuego medio. Sazonar la harina y mezclarla con el resto del aceite y 4-5 cucharadas de agua para formar una masa suave. Amasar un poco y extender sobre una superficie enharinada, formando un círculo de unos 20 cm de diámetro.

3 Pasar la masa a una sartén antiadherente, resistente al horno, y freír a fuego medio unos 5 minutos por cada lado.

4 Extender por encima la salsa de tomate, las demás hortalizas y el queso. Gratinar 3-4 minutos, hasta que esté fundido y cortar.

• Cada ración contiene: 331 kcal, 10 g de proteínas, 49 g de carbohidratos, 12 g de grasa, 4 g de grasas saturadas, 3 g de fibra, 6 g de azúcar añadido y 0,89 g de sal.

El aceite de sésamo es la clave, el que da el intenso sabor a frutos secos a este plato con bajo contenido en grasas saturadas.

Fideos al sésamo con tofu

250 g de tofu firme, escurrido
2 cucharadas de salsa de soja con poca sal, y 1 más para servir (opcional)
1 cucharada de aceite de sésamo, y 1 más para servir (opcional)
300 g de verduras (en esta receta utilizamos tirabeques y col china partida)
1 diente de ajo laminado
1 trocito de jengibre fresco, pelado y cortado en tiras
300 g de fideos al huevo para el wok
1 cucharada de semillas de sésamo

10 minutos • 2 raciones

1 Cortar el tofu en 12 trozos, echarle una cucharada de salsa de soja y otra de aceite de sésamo y mezclar bien. Calentar el resto del aceite en un wok y saltear en él las verduras, el ajo y el jengibre hasta que pierdan su tersura, unos 2 minutos. Rociar con 2 cucharadas de agua y seguir salteando 1 minuto más.
2 Añadir los fideos, las semillas de sésamo y la salsa de soja del adobo del tofu y seguir salteando 2 minutos. Incorporar el tofu, un poco más de salsa de soja y cubrir con papel de horno. Dejar un minuto más al fuego para que se caliente el tofu y mezclarlo todo con suavidad.
3 Repartir en dos cuencos y salpicar, si apetece, con un poco más de salsa de soja y de aceite de sésamo.

• Cada ración contiene: 531 kcal, 27 g de proteínas, 74 g de carbohidratos, 17 g de grasa, 2 g de grasas saturadas, 5 g de fibra, 6 g de azúcar añadido y 3,35 g de sal.

Una gran tortilla para una rica cena familiar. Ideal para todas las edades, es una buena fuente de ácido fólico, baja en grasas saturadas y en sal.

Tortilla española con espinacas

400 g de hojas de espinaca
3 cucharadas de aceite de oliva
1 cebolla grande cortada en tiras finas
2 patatas grandes, peladas, hervidas
 y en rodajas
10 huevos

30 minutos • 8 raciones

1 Poner las espinacas en un escurridor y hervir un buen cazo de agua. Verter el agua hirviendo sobre las hojas hasta que pierdan su lozanía y pasarlas luego por agua fría. Escurrir toda el agua de las espinacas y reservar.
2 Calentar el aceite en una sartén antiadherente y rehogar la cebolla 10 minutos a fuego lento.
3 Poner el gratinador al máximo. Mientras se hace la cebolla, batir los huevos en un gran cuenco y salpimentar. Echar las espinacas y las patatas en la sartén y añadir después los huevos. Dejar que se hagan, removiendo de vez en cuando hasta que el huevo haya cuajado, y poner luego la sartén bajo el gratinador unos minutos para dorar la tortilla. Colocarla en una tabla y cortarla en 8 porciones.

• Cada porción contiene 209 kcal, 12 g de proteínas, 11 g de carbohidratos, 13 g de grasa, 3 g de grasas saturadas, 2 g de fibra, 2 g de azúcar añadido y 0,46 g de sal.

Un poco de queso da mucho de sí en este plato sencillo, magro y que sacia. Ideal acompañado con una crujiente ensalada verde.

Ñoquis con queso de cabra y calabaza

450 g de calabaza moscada, sin piel ni semillas y troceada
1 diente de ajo
2 cucharadas de aceite de oliva
500 g de ñoquis de patata frescos
200 g de hojas de espinaca pequeñas
100 g de queso de cabra suave

35 minutos • 4 raciones

1 Precalentar el horno a 200 °C. Poner la calabaza troceada en una fuente de horno con el ajo y el aceite. Salpimentar y mezclar bien. Asar durante 20 minutos, removiendo a media cocción, hasta que esté dorada.
2 Mientras tanto, hervir los ñoquis siguiendo las instrucciones del envase. Unos segundos antes de retirarlos del fuego, añadir las espinacas y luego colar todo. Agregarlo a la fuente del horno, mezclar bien y esparcir por encima el ajo reblandecido. Repartir en platos precalentados y añadir el queso troceado antes de servir.

• Cada ración contiene: 333 kcal, 11 g de proteínas, 53 g de carbohidratos, 10 g de grasa, 4 g de grasas saturadas, 5 g de fibra, 8 g de azúcar añadido y 1,76 g de sal.

Nada mejor que esta sopa baja en grasa al llegar a casa después de una dura jornada. Los tortellinis son deliciosos, y con verduras nos ofrecen tres de las 5 raciones verdes del día.

Suculenta sopa de pasta rellena

1 cucharada de aceite de oliva
2 zanahorias troceadas
1 cebolla grande finamente picada
1 litro de caldo de verdura
400 g de tomate triturado con ajo
200 g de mezcla de guisantes y judías congelados
250 g de pasta fresca rellena (aquí se han usado tortellinis con requesón y espinacas)
un puñado de hojas de albahaca picadas (opcional)
servir con parmesano recién rallado y pan (opcional)

30 minutos • 4 raciones

1 Calentar el aceite en una sartén. Freír la zanahoria y la cebolla 5 minutos para que se ablanden. Añadir el caldo y el tomate, dejar 5 minutos a fuego lento, agregar los guisantes y las judías y seguir 5 minutos más con la cocción

2 Con las legumbres ya tiernas, incorporar la pasta, esperar a que hierva de nuevo y dejar 2 minutos más en el fuego para que la pasta llegue a su punto. Añadir la albahaca si apetece. Sazonar y repartir en boles espolvoreando el parmesano por encima y coronando el plato con unas rebanaditas de pan.

• Cada ración contiene: 286 kcal, 11 g de proteínas, 44 g de carbohidratos, 9 g de grasa, 3 g de grasas saturadas, 6 g de fibra, 11 g de azúcar añadido y 0,88 g de sal.

El falafel es muy popular en Oriente Medio y, qué duda cabe, una comida sabrosa, baja en grasa y sal, que además ofrece una de las 5 raciones diarias de verdura.

Hamburguesas de falafel

400 g de garbanzos de bote aclarados y escurridos
1 cebolla roja pequeña picada
1 diente de ajo picado
un puñado de perejil de hoja plana o rizada
1 cucharadita de comino y 1 de cilantro molidos
½ cucharadita de salsa harisa o de cayena
2 cucharadas de harina
2 cucharadas de aceite de girasol
pan de pita tostado, 200 g de salsa de tomate y ensalada verde para servir (opcional)

15 minutos • 4 raciones

1 Secar los garbanzos con papel de cocina y ponerlos en el recipiente de la batidora con la cebolla, el ajo, el perejil, las especias, la harina y una pizca de sal. Batir hasta obtener una masa fina y formar con ella 4 bolas achatadas.

2 Calentar el aceite en una sartén antiadherente y freír esta especie de buñuelos 3 minutos por cada lado hasta que estén dorados. Servir con pan de pita tostado, salsa de tomate y ensalada verde.

• Cada ración contiene: 161 kcal, 6 g de proteínas, 18 g de carbohidratos, 8 g de grasa, 1 g de grasas saturadas, 3 g de fibra, 1 g de azúcar añadido y 0,36 g de sal.

Una receta estupenda para servir sobre cuscús caliente y disfrutar de una comida saludable con mucha fibra y baja en grasas saturadas.

Tajín de verduras con garbanzos y pasas

2 cucharadas de aceite de oliva
2 cebollas picadas
½ cucharadita de canela,
½ de cilantro y ½ de comino molidos
2 calabacines grandes troceados
2 tomates picados
400 g de garbanzos en conserva, aclarados y escurridos
4 cucharadas de pasas
450 ml de caldo de verdura
300 g de guisantes congelados
cilantro fresco picado para servir

30 minutos • 4 raciones

1 Calentar el aceite en una cazuela, echar la cebolla y dejar ablandar 5 minutos. Añadir las especias, el calabacín, el tomate, los garbanzos, las pasas y el caldo, y llevar a ebullición. Tapar la cazuela y dejar 10 minutos a fuego lento. Agregar los guisantes y dejar que se hagan 5 minutos más. Espolvorear con cilantro antes de servir.

• Cada ración contiene: 264 kcal, 12 g de proteínas, 36 g de carbohidratos, 9 g de grasa, 1 g de grasas saturadas, 9 g de fibra, 19 g de azúcar añadido y 0,52 g de sal.

Un plato con muy poca grasa y un sabor dulce y ligeramente picante, que encantará a los niños.

Fideos con verduras salteadas al chile dulce

250 g de fideos al huevo medianos
1 cucharada de concentrado de tomate
2 cucharadas de salsa de soja
2 cucharadas de salsa de chile dulce
1 cucharada de aceite de girasol
un trocito de raíz de jengibre fresco rallado
300 g de hortalizas estilo chino para saltear

15 minutos • 4 raciones

1 Poner un cazo de agua a hervir. Echar los fideos, dejar 5 minutos en el fuego y escurrir. Mezclar en una taza el concentrado de tomate, la salsa de soja y la de chile dulce con 150 ml de agua.

2 Mientras tanto, calentar el aceite en una sartén o un wok y saltear 2 minutos el jengibre y las hortalizas. Añadir los fideos y la salsa al recipiente, y dejar 2-3 minutos más para que se calienten todos los ingredientes.

• Cada ración contiene: 304 kcal, 10 g de proteínas, 51 g de carbohidratos, 8 g de grasa, 1 g de grasas saturadas, 3 g de fibra, 6 g de azúcar añadido y 2,2 g de sal.

Si quita la grasa del filete, el plato será adecuado para una dieta baja en grasas, sobre todo si lo acompañas con esta deliciosa ensalada de inspiración oriental.

Solomillo especial con ensalada de nabo

250 g de solomillo sin grasa
2 nabos pelados y en tiras o toscamente rallados
4 dátiles sin hueso cortados en cuatro
150 g de ensalada de hoja pequeña
un puñado de hojas de menta para adornar

PARA EL ALIÑO
3 cucharadas de nata semidescremada con unas gotas de limón
2 cucharaditas de salsa wasabi
un chorrito de limón recién exprimido

20 minutos • 2 raciones

1 Calentar al máximo una parrilla, salpimentar el solomillo y pasarlo 1½-2½ minutos por cada lado si se desea la carne poco hecha o al punto y 4 minutos si apetece más asada. Retirar del fuego, dejar reposar 5 minutos antes de cortarla en lonchas.

2 Preparar el aliño batiendo la nata, la salsa wasabi y el zumo de limón en un cuenco grande. Añadir el nabo y los dátiles, mezclar y sazonar. Repartir la ensalada en dos platos y colocar el nabo por encima. Coronar con las lonchas de solomillo y decorar con la menta troceada.

• Cada ración contiene: 474 kcal, 35 g de proteínas, 60 g de carbohidratos, 11 g de grasa, 5 g de grasas saturadas, 10 g de fibra, 46 g de azúcar añadido y 0,42 g de sal.

De la cazuela a los cuencos una comida para la familia y los amigos, fibra, baja en grasas saturadas y en sal, y ofrece tres de las 5 raciones verdes del día.

Cordero a la menta con guisantes

350 g de pierna de cordero en dados
1 cucharada de harina sazonada
1 cucharada de aceite de girasol
4 chalotas cortadas en cuartos
2 puerros en rodajas
4 zanahorias en rodajas gruesas
400 g de patatas en dados
700 ml de caldo de cordero o de pollo
300 g de guisantes congelados
un puñado de hojas de menta para servir

30 minutos • 4 raciones

1 Pasar el cordero por la harina. Calentar la mitad del aceite en una cazuela grande y dorar el cordero 2 minutos a temperatura alta. Retirar la carne y reservar. Añadir el resto del aceite, las chalotas, el puerro, las zanahorias y las patatas. Dejar unos minutos en el fuego para que se ablanden las hortalizas.

2 Agregar el caldo, raspar con cuidado para despegar los restos de carne adheridos a la cazuela y dejar a fuego lento 10 minutos para ablandar las hortalizas. Añadir el cordero y los guisantes y dejar 4 minutos más, hasta que la carne esté en su punto y las verduras tiernas. Espolvorear con hojas de menta antes de servir.

• Cada ración contiene: 357 kcal, 28 g de proteínas, 37 g de carbohidratos, 12 g de grasa, 4 g de grasas saturadas, 10 g de fibra, 11 g de azúcar añadido y 1,38 g de sal.

Servir estos sabrosos bocaditos como aperitivo o primer plato de una saludable comida india. Aportan mucha vitamina C, muy pocas grasas saturadas e insaturadas y todo el mundo quedará contento.

Croquetas de gamba con sambal al cilantro

3 rebanadas de pan blanco cortadas por la mitad
2 chalotas partidas
1 diente de ajo machacado
400 g de gambas crudas peladas
un poco de nuez moscada recién rallada
1 huevo grande
2 cucharadas de aceite de girasol para freír

PARA EL SAMBAL
1 pimiento verde sin semillas
1 guindilla verde sin semillas
1 trozo de jengibre fresco
2 dientes de ajo
40 g de cilantro
1 cucharadita de azúcar
2 cucharaditas de vinagre de malta
el zumo de 1 limón pequeño

30 minutos • 6 raciones

1 Poner todos los ingredientes para la elaboración de las croquetas, excepto el aceite, en una batidora, sazonar un poco y batir hasta obtener una pasta fina. Formar con ella 12-18 bolitas, cubrirlas y dejarlas en el frigorífico hasta que vayan a utilizarse (aguantan bien 24 horas).
2 Limpiar la batidora y batir a continuación los ingredientes del sambal hasta obtener una salsa ligera de un verde vivo. Salpimentar, colocar en un tazón y poner a enfriar.
3 Poco antes de servir el plato, dorar en aceite las croquetas unos minutos por cada lado. Tienen que quedar bien firmes, como las croquetas tailandesas. Servir en una fuente junto con el tazón de sambal.

• Cada ración contiene: 153 kcal, 15 g de proteínas, 11 g de carbohidratos, 6 g de grasa, 1 g de grasas saturadas, 1 g de fibra, 2 g de azúcar añadido y 0,61 g de sal.

Se puede empezar una cena elegante o una celebración familiar con esta sopa de temporada. Un plato vigoroso y saludable, con vitamina C y bajo contenido en grasas y sal.

Crema de calabaza al jerez

- 1 cebolla grande partida y cortada en rodajas
- 2 cucharadas de aceite de oliva
- 4 cucharadas de jerez seco
- 1 kg de calabaza moscada pelada, sin semillas y troceada
- 600 ml de caldo de verduras
- picatostes y unos brotes de perejil para acompañar (opcional)

50 minutos • 4 raciones (que pueden duplicarse)

1 Freír la cebolla en el aceite 5 minutos para que se ablande. Añadir el jerez y la calabaza y dejar 1-2 minutos en el fuego. Verter el caldo, cubrir y mantener 20 minutos a fuego lento hasta que la calabaza se note tierna al pincharla con un cuchillo.

2 Pasar por la batidora para obtener una crema suave. Antes de servir, calentar bien y presentar en cuencos no muy grandes decorada con picatostes y una ramita de perejil.

• Cada ración contiene: 183 kcal, 4 g de proteínas, 26 g de carbohidratos, 6 g de grasa, 1 g de grasas saturadas, 5 g de fibra, 15 g de azúcar añadido y 0,22 g de sal.

La mejor receta para una relajante comida vegetariana. Una cena saludable con mucha fibra, un alto contenido en hierro y ácido fólico y cuatro de las 5 raciones verdes del día.

Migas con alubias manteca y calabaza

350 g de alubias manteca remojadas 8-10 horas en agua fría
4 cucharadas de aceite de oliva
2 cebollas picadas
4 dientes de ajo muy picados
1-2 guindillas rojas sin semillas y picadas
700 g de concentrado de tomate
un atadillo de hierbas aromáticas
450 ml de vino blanco
450 ml de caldo de verduras
700 g de calabaza pelada, sin semillas y troceada

PARA LAS MIGAS
50 g de migas de pan
25 g de nueces picadas
1 cucharada de romero fresco picado
4 cucharadas de perejil fresco picado

2 ¾ horas • 6 raciones

1 Escurrir y aclarar las alubias y cubrirlas con agua. Llevarlas a ebullición, reducir el fuego y dejarlas hervir, cubriéndolas parcialmente, alrededor de 1 hora. Escurrir.
2 Calentar 2 cucharadas de aceite en una cazuela, y dorar la cebolla 10 minutos. Agregar el ajo, la guindilla, el concentrado de tomate, las hierbas, el vino, el caldo y salpimentar. Cuando rompa a hervir, bajar el fuego y cocer sin tapar 20 minutos. Añadir la calabaza y cocer 20 minutos más.
3 Precalentar el horno a 180 °C. Mezclar las alubias con la salsa y pasarlas a una cazuela grande. Juntar los ingredientes de las migas con las 2 cucharadas de aceite restante y echar por encima de la mezcla de las alubias. Hornear hasta que esté dorada y crujiente.

• Cada ración contiene: 428 kcal, 17 g de proteínas, 62 g de carbohidratos, 12 g de grasa, 2 g de grasas saturadas, 13 g de fibra, 18 g de azúcar añadido y 0,93 g de sal.

Un estofado con un buen contenido en fibra, ácido fólico y vitamina C, bajo en grasas saturadas y en sal, ideal para una celebración de invierno. El conejo es una carne con muy poca grasa.

Estofado de conejo con setas

3 cucharadas de aceite de oliva y un poco más para untar las patatas.
1 conejo preparado para el horno, cortado en seis partes (patas, paletillas y lomo)
250 g de setas pequeñas y aplanadas, en láminas finas
1 kg de patatas en rodajas finas
3 cebollas cortadas en rodajas
1 cucharada de romero fresco picado
600 ml de caldo de pollo

2¼ horas • 4 raciones

1 Precalentar el horno a 180 ºC. Calentar el aceite en una cazuela resistente al fuego y al horno. Dorar el conejo y reservar. Saltear las setas y retirar la cazuela del fuego.
2 Poner una capa de patatas en la cazuela, salpimentar, y seguir con otra de cebolla, las setas con el romero y finalmente el conejo. Repetir las capas con la cebolla, las setas y el romero restantes y coronar con las patatas. Rociar con el caldo y untar las patatas ligeramente con aceite.
3 Poner de nuevo la cazuela en el fuego, llevarla a ebullición, tapar y dejar 1¼ horas a fuego lento. Destapar y meter en el horno a 220 ºC unos 30 minutos más para que se doren las patatas.

• Cada ración contiene: 544 kcal, 42 g de proteínas, 58 g de carbohidratos, 18 g de grasa, 4 g de grasas saturadas, 7 g de fibra, 11 g de azúcar añadido y 1.04 g de sal.

Las moras combinan a la perfección con el venado, una carne de intenso sabor, muy magra. Un plato con pocas grasas saturadas y poca sal.

Filetes de venado con salsa de moras

1 cucharada de aceite de oliva
2 filetes gruesos o 4 medallones de venado
1 cucharada de vinagre balsámico
150 ml de caldo de ternera
2 cucharadas de gelatina de grosella
1 diente de ajo machacado
100 g de moras frescas o congeladas
puré de patata o de apio nabo y brócoli para servir (opcional)

25 minutos • 4 raciones

1 Calentar el aceite en una sartén, freír el venado 5 minutos por una cara y 3-5 por la otra según preferencias y el grosor de la carne. Reservar.
2 Echar el vinagre balsámico en la sartén y seguidamente el caldo, la gelatina de grosella y el ajo. Subir el fuego, mezclar bien, incorporar las moras y dejar hasta que se ablanden. Servir con el venado, el puré de patata o de apio nabo y el brócoli.

• Cada ración contiene: 182 kcal, 28 g de proteínas, 7 g de carbohidratos, 5 g de grasa, 1 g de grasas saturadas, 1 g de fibra, 7 g de azúcar añadido y 0,24 g de sal.

Un plato de pasta que aporta hierro y vitamina C y ofrece una de las 5 raciones verdes del día.

Vieiras con chorizo y espaguetis salteados

12 vieiras con o sin huevas
500 g de espaguetis frescos
3 cucharadas de aceite de oliva virgen extra
¼ cucharadita de copos de guindilla seca
100 g de rodajas de chorizo troceadas
1 pimiento rojo y 1 anaranjado, partidos, sin semillas y troceados
2 dientes de ajo laminados
1 ramillete de perejil picado

25 minutos • 4 raciones (que pueden reducirse a la mitad)

1 Limpiar la vieiras y retirarles el pequeño músculo blanco y opaco. Si tienen huevas, desprenderlas de la carne blanca del marisco.
2 Hervir los espaguetis según las instrucciones del envase, escurrir y aliñar con el aceite de oliva y la guindilla, y salpimentar. Colocarlos en una fuente para servir y mantenerlos calientes.
3 Calentar una sartén, poner el chorizo y cuando la grasa empiece a soltarse, subir el fuego, incorporar los pimientos y el ajo, y saltear 3-4 minutos. Sazonar y poner sobre los espaguetis.
4 Poner de nuevo la sartén en el fuego, incorporar las vieiras y las huevas, freír 1-2 minutos por cada lado para dorarlas pero dejar que la carne se mantenga firme. Pasarlas a la fuente de los espaguetis, sazonar y mezclar bien. Servir en cuencos, repartiendo 3 vieiras a cada comensal.

• Cada ración contiene: 584 kcal, 38 g de proteínas, 75 g de carbohidratos, 17 g de grasa, 3 g de grasas saturadas, 2 g de fibra, 7 g de azúcar añadido y 0,93 g de sal.

Deleitemos a alguien especial con este plato espectacular que se prepara en 20 minutos. Es bajo en grasas saturadas y en sal y contiene omega 3 y ácido fólico.

Salmón con salsa holandesa al estragón

1 cucharada de aceite de oliva
2 filetes de unos 150 g de salmón con piel, sin escamas
125 g de espárragos sin la parte dura
2 ramas de tomates cherry
1 cucharada de estragón fresco picado
150 ml de salsa holandesa previamente preparada para servir

10 minutos • 2 raciones

1 Precalentar el horno a 200 ºC. Calentar el aceite a temperatura elevada en una sartén resistente al horno. Freír el salmón con la parte de la piel hacia abajo 5 minutos para que quede crujiente.
2 Añadir los espárragos y el tomate en rama en la sartén y meterla en el horno. Dejar 7-10 minutos hasta que se haga del todo el salmón.
3 Mezclar el estragón con la salsa holandesa y esparcirla por encima del salmón y las hortalizas antes de servir.

• Cada ración contiene: 327 kcal, 31 g de proteínas, 3 g de carbohidratos, 22 g de grasa, 4 g de grasas saturadas, 2 g de fibra, 3 g de azúcar añadido y 0,18 g de sal.

Puedes servir este plato bajo en grasas y en sal acompañado con arroz al azafrán y ensalada, en una cena sencilla y relajada entre amigos.

Cerdo salteado con salsa de jarabe de arce y mostaza

2 lomos de cerdo de unos 300 g cada uno
1 cucharada de harina
2 cucharadas de aceite de oliva y un poco más (si hace falta)
1 cebolla roja en aros finos
200 ml de caldo de verduras
2 cucharadas de jarabe de arce
2 cucharadas de mostaza rústica
el zumo de 1 limón
un puñado de ramitas de perejil (opcional) para adornar

30 minutos • 4 raciones

1 Cortar el lomo en lonchas de 3 cm de grosor, sazonar y pasar por harina. (La forma más fácil es poner la harina y el condimento en una bolsa, introducir la carne y agitar bien.) Calentar el aceite en una cacerola grande antiadherente y dorar la carne. Reservar en una fuente y cubrir con papel de aluminio.
2 Poner la cebolla en la cacerola (con algo más de aceite si hace falta), dejarla 5 minutos hasta que cambie un poco de color, añadir el caldo y llevarlo a ebullición. Dejar a fuego vivo para reducir un poco el líquido. Incorporar el jarabe de arce, la mostaza, el zumo de limón y dejar que hierva removiendo constantemente.
3 Poner de nuevo el cerdo en el recipiente y dejarlo 3-4 minutos a fuego lento para que acabe de hacerse. Puede espolvorearse con perejil.

• Cada ración contiene: 327 kcal, 35 g de proteínas, 11 g de carbohidratos, 16 g de grasa, 4 g de grasas saturadas, 1 g de fibra, 7 g de azúcar añadido y 0,58 g de sal.

La cocción sobre un lecho de verduras añade sabor al pescado y evita que se seque al cocinarse. Un plato con alto contenido en omega 3 y bajo en grasas saturadas y en sal.

Lubina al horno con romesco

4 pimientos rojos sin semillas y troceados
2 pimientos amarillos sin semillas y troceados
5 tomates en rama grandes, partidos por la mitad
1 cebolla roja grande, cortada en cuñas
4 dientes de ajo grandes sin pelar
4 cucharadas de aceite de oliva y un poquito más para untar
2 lubinas de palangre de 1 kg sin tripas ni escamas
2 limones en rodajas finas
dos puñados generosos de hierbas aromáticas mezcladas (como romero y tomillo)
2 cucharadas de vinagre balsámico
50 g de avellanas tostadas

1 hora • 6 raciones

1 Precalentar el horno a 200 ºC. Colocar las hortalizas en una fuente de horno. Salpimentar y untar con aceite. Dejar 20 minutos para que se ablanden.

2 Secar el pescado con papel de cocina y practicar unos cortes en la piel. Salpimentar las cavidades, y rellenar con las rodajas de limón y la mitad de las hierbas aromáticas. Colocar el pescado encima de las hortalizas, rociar con un poco de aceite y el resto de las hierbas y asarlo 20-25 minutos hasta que esté firme.

3 Pasar el pescado y la mitad de las hortalizas a una fuente para servir y cubrir con papel de aluminio. Batir muy bien el resto de las hortalizas y los jugos del asado en la batidora. Añadir el vinagre y las avellanas. Quitar la espina y servir con las hortalizas y la salsa.

• Cada ración contiene: 457 kcal, 47 g de proteínas, 15 g de carbohidratos, 24 g de grasa, 3 g de grasas saturadas, 4 g de fibra, 13 g de azúcar añadido y 0,43 g de sal.

Preparar un lomo de cerdo relleno es sencillo pero impresiona a cualquier invitado. Es perfecto para una cena especial cuando el tiempo apremia. Contiene hierro y es bajo en grasas saturadas.

Cerdo relleno de albaricoque y comino

1 cucharada de semillas de comino
100 g de orejones de albaricoque listos para utilizar
400 g de lomo de cerdo magro
1 cucharada de aceite de girasol
150 ml de marsala, madeira u oporto
una ramita de romero fresco
patatas y ensalada para acompañar (opcional)

25 minutos • 2 raciones

1 Precalentar el horno a 200 °C. Tostar ligeramente el comino en una sartén. Picarlo en la batidora con los orejones hasta formar una pasta no demasiado fina. Partir el lomo por la mitad a lo largo sin acabar de cortarlo y abrirlo como un libro. Salpimentar. Extender la pasta de albaricoque por el centro y envolverla con la carne.

2 Calentar el aceite en una sartén y dorar la carne unos 5 minutos. Pasar el lomo a una fuente de horno y cubrirlo con papel de aluminio. Asarlo 10-15 minutos para que adquiera un tono rosado suave.

3 Calentar el vino con el romero en una sartén. Dejarlo reducir 5 minutos. Sacar la carne del horno, y dejarla enfriar 5 minutos y cortarla en rodajas gruesas. Mezclar su jugo con la salsa, sazonar y rociar la carne antes de servir.

• Cada ración contiene: 428 kcal, 46 g de proteínas, 24 g de carbohidratos, 14 g de grasa, 3 g de grasas saturadas, 3 g de fibra, 23 g de azúcar añadido y 0,37 g de sal.

Un plato que contiene hierro, nos ofrece 2 de las 5 raciones verdes del día y lleva pocas grasas saturadas y poca sal.

Berenjenas al horno rellenas de cordero

4 berenjenas pequeñas u 8 berenjenas baby
aceite vegetal para freír

PARA EL RELLENO
1 cucharada de aceite de oliva y un poco más para rociar
1 cebolla grande picada
4 dientes de ajo picados
2 guindillas sin semillas picadas
1 cucharadita de azúcar
2 cucharadas de pasas y piñones
1 cucharada de canela y otra de garam masala
1 cucharadita de cúrcuma
250 g de carne de cordero picada
un puñadito de hojas de cilantro picadas
2 tomates en rodajas
gajos de limón para servir

1 hora y 10 minutos • 4 raciones

1 Precalentar el horno a 200 °C. Para el relleno: calentar el aceite en una cazuela de base gruesa, incorporar la cebolla y dejar 5 minutos. Añadir el ajo y la guindilla, y 1 minuto después el azúcar, las pasas y los piñones. Dejar en el fuego hasta que la cebolla esté dorada. Incorporar las especias, salpimentar y apartar del fuego.
2 Poner el cordero picado y el cilantro en la mezcla y sazonar. Freír las berenjenas con aceite vegetal en el recipiente de base gruesa unos 6-8 minutos. Colocarlas en una fuente de horno. Con un cuchillo afilado, abrirlas a lo largo y formar un bolsillo. Rellenarlas con la mezcla de la carne y cubrirlas con 2-3 rodajas de tomate. Rociar con aceite y tapar con papel de aluminio.
3 Asar 40 minutos en el horno, destapar y dejar 10 minutos más. Servir con gajos de limón.

• Cada ración contiene: 340 kcal, 16 g de proteínas, 22 g de carbohidratos, 21 g de grasa, 4 g de grasas saturadas, 6 g de fibra, 15 g de azúcar añadido y 0,14 g de sal.

Una forma de hacer el pescado inspirada en la cocina china. Fácil de preparar, contiene omega 3 y vitamina C, es bajo en grasas saturadas y en sal.

Lubina con jengibre salteado, guindilla y cebollas tiernas

6 filetes de pescado blanco, de unos 150 g cada uno, con piel y sin escamas
3 cucharadas de aceite de girasol
un trozo grande de jengibre fresco, pelado y cortado en palitos finos
3 dientes de ajo laminados
3 guindillas rojas frescas sin semillas y cortadas en tiras
un manojo de cebolla tierna cortada a lo largo en tiras
1 cucharada de salsa de soja

25 minutos • 6 raciones

1 Salpimentar el pescado y practicarle 3 cortes en la piel. Calentar una sartén de base gruesa con una cucharada de aceite y freír el pescado con la piel hacia abajo 5 minutos o hasta que esté dorado y crujiente. La lubina estará en su punto. Darle la vuelta, dejarla entre 30 segundos y 1 minuto más en el fuego, pasarla a una fuente para servir y mantenerla caliente. Habrá que llevar a cabo la fritura en dos tandas.
2 Calentar el resto del aceite y pasar por la sartén el jengibre, el ajo y las guindillas unos 2 minutos. Retirar del fuego y añadir la cebolla tierna. Rociar el pescado con un poco de salsa de soja y echarle por encima el contenido de la sartén. Servir con arroz y las verduras salteadas que más apetezcan.

• Cada ración contiene: 202 kcal, 28 g de proteínas, 2 g de carbohidratos, 9 g de grasa, 1 g de grasas saturadas, 0 g de fibra, 1 g de azúcar añadido y 0,26 g de sal.

El chocolate crujiente da paso a las peras ligeramente borrachas en este delicioso postre con el que no te sentirás culpable porque es bajo en grasa y no contiene grasas saturadas.

Crujiente de pera y chocolate

3 peras maduras, peladas y sin semillas
el zumo de ½ limón
1 cucharada de azúcar moreno
4 cucharaditas de licor de pera o coñac (opcional)

PARA LA CUBIERTA
50 g de azúcar glas
1 cucharada de cacao en polvo
25 g de almendras molidas
1 clara de huevo

50 minutos • 4 raciones

1 Precalentar el horno a 160°C. Trocear las peras, ponerlas en un cazo y cubrirlas con zumo de limón y azúcar. Llevarlas a ebullición, tapar el recipiente y dejar hervir 10 minutos. Destapar y seguir con la cocción para espesar el jugo, unos 8-10 minutos. Repartir en cuatro tarrinas de 150 ml y añadir una cucharadita de licor a cada una si apetece.
2 Para la cubierta crujiente, tamizar el azúcar glas y el cacao, pasarlo al cuenco y añadirle las almendras. En otro recipiente, batir la clara a punto de nieve y mezclar con los ingredientes secos. Incorporar la mezcla a las peras y agitar ligeramente las tarrinas para nivelar el contenido. Poner en el horno y dejar que se cueza 20-25 minutos hasta que la parte superior esté firme al tacto. Servir caliente o frío.

• Cada ración contiene: 140 kcal, 2 g de proteínas, 26 g de carbohidratos, 4 g de grasa, 0 g de grasas saturadas, 2 g de fibra, 25 g de azúcar añadido y 0,03 g de sal.

Unos atractivos crepes ideales para un día de invitados. Nadie imaginaría que este plato es bajo en grasas saturadas e insaturadas.

Crepes Suzette al instante

4 crepes preparados

PARA LA SALSA
100 g de azúcar extrafino
el zumo de 2 naranjas, la ralladura de 1 naranja y unos gajos más para servir (opcional)
una nuez de mantequilla
nata semidescremada para servir (opcional)

20 minutos • 4 raciones

1 Poner el azúcar en un cuenco apto para el microondas y añadir 3 cucharadas de zumo de naranja. Introducirlo en el microondas a alta temperatura y dejarlo 3-4 minutos hasta que forme un caramelo burbujeante. Retirar el cuenco (con cuidado, estará muy caliente) y añadir el resto del zumo, la ralladura y la mantequilla. Introducir de nuevo en el microondas, dejarlo 1 minuto, sacarlo, darle unas vueltas y meterlo de nuevo hasta que el caramelo se haya disuelto en el zumo y quede una salsa parecida al jarabe, más o menos 1 minuto. Reservar.

2 Calentar los crepes en el microondas siguiendo las instrucciones del envase. Servirlos doblados en cuatro con la salsa por encima, una cucharada de nata y unos gajos de naranja si apetece.

• Cada ración contiene: 254 kcal, 5 g de proteínas, 51 g de carbohidratos, 5 g de grasa, 3 g de grasas saturadas, 1 g de fibra, 31 g de azúcar añadido y 0,66 g de sal.

Un postre frutal veraniego sin grasas saturadas que proporciona 2 de las 5 raciones de vegetales al día. Puedes añadirle un chorrito de vodka o de Cointreau si te apetece.

Copas de melón, naranja y frambuesas

1 melón mediano, pelado y en dados
la ralladura y el zumo de 1 naranja
2 cucharadas de azúcar moreno
150 g de frambuesas

15 minutos, más el tiempo de reposo • 4 raciones

1 Colocar los dados de melón en un cuenco, rociarlos con el zumo de naranja y añadir las ralladuras y el azúcar. Mezclar bien y dejar reposar unos 10 minutos o hasta que se disuelva el azúcar.

2 Añadir las frambuesas y servir con helado o nata.

• Cada ración contiene: 70 kcal, 1 g de proteínas, 17 g de carbohidratos, 0,3 g de grasa, 0 g de grasas saturadas, 2 g de fibra, 17 g de azúcar añadido y 0,05 g de sal.

El coñac añade un aroma delicioso y da calidez a esta mezcla de frutas baja en grasa y grasas saturadas, que sabe aún mejor si se prepara con antelación.

Frutas secas al coñac

100 g de azúcar moreno
1 ramita de canela
400 g de frutas secas (cualquier combinación de ciruelas, albaricoques, melocotones y peras)
4 cucharadas de coñac
nata o helado para servir (opcional)

25 minutos • 4-6 raciones

1 Poner el azúcar en un cazo y añadir 350 ml de agua hirviendo, la canela partida en dos y remover para que se disuelva.

2 Incorporar la fruta y el coñac y llevar a ebullición. Dejar a fuego lento con el cazo semicubierto 15 minutos, apartar del fuego, dejar enfriar unos minutos si va a servirse caliente, o esperar y poner en el frigorífico si se prefiere frío. Acompañar con nata o helado.

• Cada ración contiene: 322 kcal, 3 g de proteínas, 72 g de carbohidratos, 1 g de grasa, 0,1 g de grasas saturadas, 6 g de fibra, 24,8 g de azúcar añadido y 0,08 g de sal.

Puedes utilizar cualquier fruta o sorbete para preparar este postre, rápido y sin grasa, especial para una fiesta de verano.

Sorbete con burbujas

2 fresas laminadas
2 cucharadas de sorbete de frambuesas
100 ml de cava

5 minutos • 2 raciones

1 Disponer las láminas de fresa en el fondo de dos copas altas, echar por encima el sorbete de frambuesa, regar con el cava y servir inmediatamente.

• Cada ración contiene: 136 kcal, 0 g de proteínas, 35 g de carbohidratos, 0 g de grasa, 0 g de grasas saturadas, 0 g de fibra, 33 g de azúcar añadido y 0,04 g de sal.

Un poco de chocolate da mucho de sí en este extraordinario postre prácticamente sin grasa ni grasas saturadas. A los niños también les encantará.

Postres con chocolate caliente

2 cucharadas de aceite de girasol y un poco más para untar
1 cucharada de cacao en polvo
100 g de harina con levadura
½ cucharadita de bicarbonato
50 g de azúcar moreno
100 ml de leche descremada
1 huevo

PARA LA CREMA DE CHOCOLATE
2 tarrinas de 150 g de natillas semidescremadas
25 g de chocolate rallado

20 minutos • 6 raciones

1 Precalentar el horno a 170 °C. Untar las seis concavidades de un molde para magdalenas con un poco de aceite. Tamizar el cacao, ponerlo en un cuenco grande e incorporarlo al resto de los ingredientes. Revolver bien y formar un hueco en el centro.

2 Batir la leche, el huevo y el aceite en una jarrita y verter en el hueco practicado en la mezcla de ingredientes secos. Remover deprisa para obtener una masa. Repartirla en el molde y hornear 15 minutos para que suba y quede firme al tacto.

3 Calentar las natillas siguiendo las instrucciones del envase, en el microondas o en un cazo, añadir el chocolate rallado a la crema y remover hasta que se disuelva. Colocar las magdalenas en recipientes para servir y echarles la crema por encima.

• Cada ración contiene: 215 kcal, 5 g de proteínas, 32 g de carbohidratos, 8 g de grasa, 2 de grasas saturadas, 1 g de fibra, 17 g de azúcar añadido y 0,59 g de sal.

Unos espléndidos minimerengues sin un ápice de grasa que se preparan en 10 minutos.

Merengues de fruta helada en un soplo

250 g de mezcla de frutas (aquí se ha usado plátano y fresa)
200 g de queso fresco semidescremado
2 cucharadas o algo más, al gusto, de azúcar glas
100 g de arándanos
1 o 2 plátanos en rodajas
4 merengues pequeños

10 minutos • 4 raciones

1 Poner la mezcla de frutas en el recipiente del robot de cocina. Añadir 2 cucharadas de queso fresco y el azúcar glas y trabajar la mezcla hasta obtener una textura cremosa parecida a la del sorbete.

2 Agregar la mayor parte de los arándanos y las rodajas de plátanos y colocar la mezcla sobre los merengues. Coronar con el queso fresco y decorar con la fruta restante.

• Cada ración contiene: 175 kcal, 5 g de proteínas, 40 g de carbohidratos, 0 g de grasa, 0 g de grasas saturadas, 2 g de fibra, 39 g de azúcar añadido y 0,21 g de sal.

Un sorprendente sorbete sin grasa que conserva el sabor suave de las jugosas granadas.

Helado de granada

450 g de azúcar extrafino
8 granadas

40 minutos • 8 raciones

1 Poner el azúcar en un cuenco y verter por encima 600 ml de agua hirviendo. Darle unas vueltas para que se disuelva y reservar hasta que se enfríe.
2 Mientras tanto, licuar las granadas. Estrujar siete frutos con fuerza para aplastar las semillas de su interior. Abrirles la piel con un cuchillo y exprimirlas de una en una en un recipiente. Mezclar el almíbar del cuenco con el zumo de granada e introducirlo en la máquina para hacer helados hasta que se haya solidificado. Pasar la mezcla a un recipiente de plástico y congelar. Si no se dispone de máquina, puede dejarse el recipiente en el congelador cuatro horas, mezclando la capa superior cristalizada con el resto cada media hora hasta que haya perdido la dureza y tenga una textura suave. Servir el sorbete en bolitas, adornándolas con unos granos de la granada restante.

• Cada ración contiene: 305 kcal, 2 g de proteínas, 78 g de carbohidratos, 0 g de grasa , 0 g de grasas saturadas, 6 g de fibra, 78 g de azúcar añadido y 0,01 g de sal.

Olvídate del trabajo de preparar la masa. Este delicioso pudin de fruta es mucho más rápido y más saludable. Aporta hierro y vitamina C y dos de las 5 raciones de vegetales al día.

Compota crujiente con sabor a jengibre

3 manzanas peladas y en finas rodajas
50 g de orejones troceados
4 cucharadas de mermelada de jengibre o más, según preferencias
250 g de frutas del bosque
200 g de copos de avena crujientes
50 g de piñones

20 minutos • 4 raciones

1 Poner el gratinador al máximo. Disponer las rodajas de manzana y los orejones en una fuente no muy profunda, resistente al microondas, añadir la mermelada y un chorrito de agua. Cubrir con papel film y cocer 5 minutos o hasta que la fruta se ablande. Colocar encima los frutos del bosque y dejar 3 minutos más.
2 Mezclar la avena con los piñones y formar una capa por encima de la fruta. Gratinar 2 minutos para que se dore.

• Cada ración contiene: 421 kcal, 9 g de proteínas, 60 g de carbohidratos, 18 g de grasa, 2 g de grasas saturadas, 5 g de fibra, 38 g de azúcar añadido y 0,08 g de sal.

Un postre de refrescante fruta para acabar una comida. Contiene mucha vitamina C, y es bajo en grasa y grasas saturadas.

Pomelo rosa y piña con azúcar a la menta

1 piña mediana
2 pomelos rosa
50 g de azúcar moreno granulado
un puñadito de hojas de menta fresca

10 minutos • 4 raciones

1 Cortar con un cuchillo afilado los dos extremos de la piña y colocarla de pie sobre una tabla. Quitarle la piel y desecharla. Colocarla en sentido horizontal y cortarla en rodajas finas. Quitar la piel y las semillas de los pomelos y cortarlos en rodajas. Disponer la fruta en una fuente, regarla con el zumo vertido al cortar y reservar.
2 Con un mortero y su macillo machacar el azúcar con la menta hasta obtener una mezcla uniforme. Espolvorear con ella la fruta y servir.

• Cada ración contiene: 168 kcal, 2 g de proteínas, 42 g de carbohidratos, 1 g de grasa, 0 g de grasas saturadas, 4 g de fibra, 41 g de azúcar añadido y 0,02 g de sal.

Un reconfortante postre otoñal bajo en grasa. Si no tienes a mano los amaretti, puedes utilizar en su lugar galletas de jengibre.

Peras al horno con amaretti

4 peras maduras
100 g de requesón
½ cucharadita de canela molida
4 cucharadas de miel clara y 1 más para servir
8 galletas amaretti crujientes

25 minutos • 4 raciones

1 Precalentar el horno a 190 °C. Partir las peras por la mitad y colocarlas en una bandeja para el horno con el corte hacia arriba. Con una cucharita quitarles el corazón e introducir en el hueco una cucharadita de requesón, espolvorear con canela y coronar con un poco de miel.

2 Asar las peras en el horno 10 minutos. Poner las galletas en una bolsa y aplastarlas ligeramente con un rodillo. Sacar las peras del horno, espolvorearlas con las migas de galleta y ponerlas de nuevo a asar 10 minutos o hasta que estén tiernas y las migas de galleta se hayan dorado. Rociar con un poco de miel antes de servir.

• Cada ración contiene: 198 kcal, 4 g de proteínas, 39 g de carbohidratos, 4 g de grasa, 2 g de grasas saturadas, 4 g de fibra, 32 g de azúcar añadido y 0,23 g de sal.

Un refrescante helado que combina de maravilla con los fresones. No contiene grasas saturadas, es una buena fuente de vitamina C y proporciona 1 de las 5 raciones verdes del día.

Granita de mango y vainilla

1 vaina de vainilla partida (opcional)
150 g de azúcar refinado
2 mangos grandes maduros
300 g de fresones troceados para servir

30 minutos, más el tiempo de congelar • 8 raciones

1 Poner la vaina de vainilla con el azúcar en un cuenco. Hervir 250 ml de agua y echarla por encima. Remover para que se disuelva bien y dejar enfriar.

2 Pelar los mangos y poner la pulpa en la batidora para obtener un puré suave. Incorporarlo al jarabe preparado anteriormente, desechando la vainilla. Congelar en un recipiente plano hasta que se obtenga una textura semicompacta. Machacar el hielo así obtenido, convertirlo en pequeños cristales y repetir el proceso tres veces hasta que se haya congelado del todo y tenga una textura parecida a la de la nieve. Servir con fresones troceados.

• Cada ración contiene: 163 kcal, 1 g de proteínas, 42 g de carbohidratos, 0 g de grasa, 0 g de grasas saturadas, 3 g de fibra, 41 g de azúcar añadido y 0,02 g de sal.

Un sorprendente postre, sin una pizca de grasa y con un intenso sabor a especias y vino tinto, para una cena de celebración. Servir con una bolita de helado o un poco de nata.

Peras cocidas al vino tinto especiado

1 vaina de vainilla
1 botella de vino tinto
250 g de azúcar
1 palito de canela partido
1 ramita de tomillo fresco y un par más para servir
6 peras peladas enteras y con el tallo

40-50 minutos • 6 raciones

1 Abrir a lo largo la vaina de vainilla, sacar las semillas y ponerlas en una olla con el vino, el azúcar, la canela y el tomillo. Cortar cada una de las partes de la vaina en tres tiras largas, echarlas a la olla y sumergir finalmente las peras en el líquido.

2 Poner la olla a hervir a fuego lento unos 20-30 minutos (el tiempo de cocción dependerá mucho de la madurez de la fruta; tantear con un palillo). Este paso de la receta puede prepararse dos días antes y guardar las peras y el líquido refrigerados.

3 Sacar las peras de la olla y poner el líquido a hervir hasta que quede reducido a la mitad, con la consistencia de un jarabe. Servir cada pera con el jarabe ya frío, una tira de vainilla, un trozo de canela y un pequeño tallo de tomillo.

• Cada ración contiene: 235 kcal, 0 g de proteína, 51 g de carbohidratos, 0 g de grasa, 0 g de grasas saturadas, 2 g de fibra, 51 g de azúcar añadido y 0,3 g de sal.

¡Pues sí! Se puede estar al plato y a las tajadas con este estupendo pudin de invierno. Una alternativa perfecta al pastel de manzana.

Pudin de manzana caramelizado

1,5 kg de manzanas para cocinar, peladas, sin corazón y en gajos
la ralladura y el zumo de 1 limón grande
4-5 cucharadas de azúcar extrafino
175 g de azúcar moreno
50 g de mantequilla
2 cucharadas de melaza
10 rebanadas finas de pan, sin corteza y partidas
azúcar glas para espolvorear
crema de vainilla o natillas para acompañar (opcional)

45 minutos • 6 raciones

1 Precalentar el horno a 190 °C. Untar una fuente para el horno. Poner las manzanas en un cazo con el zumo y la ralladura de limón y 5 cucharadas de agua. Tapar y hervir 7-10 minutos. Añadir el azúcar y dejar al fuego sin tapar hasta que espese.

2 Poner el azúcar moreno, la mantequilla, la melaza y 3 cucharadas de agua en otro recipiente. Llevar a ebullición, removiendo. Hervir 1-2 minutos hasta lograr la consistencia de un jarabe y el color del caramelo.

3 Sumergir en el caramelo la mitad del pan. Ponerlas en la fuente y la manzana por encima. Empapar el resto del pan y cubrir la manzana superponiendo un poco las rebanadas. Hornear y dejar 20-25 minutos para que se dore. Enfriar un poco antes de servir.

• Cada ración contiene: 397 kcal, 4 g de proteínas, 83 g de carbohidratos, 8 g de grasa, 5 g de grasas saturadas, 3 g de fibra, 63 g de azúcar añadido y 0,72 g de sal.

Un postre delicado sin sombra de grasa que nos trae el auténtico verano al plato. Se sirve con una bola de helado de yogur o un sorbete de vainilla.

Melocotones al horno con agua de rosas

6 melocotones maduros, partidos y sin hueso
el zumo de 1 o 2 naranjas grandes
2 cucharadas de agua de rosas
100 g de azúcar extrafino
2 palitos de canela partidos

30 minutos • 6 raciones

1 Precalentar el horno a 220 °C. Disponer los melocotones con el corte hacia arriba en una fuente de horno poco profunda, de modo que queden apretados unos contra otros. Mezclar el zumo de naranja y el agua de rosas, regar los melocotones con la mezcla y espolvorearlos con azúcar. Si el recipiente es grande, el líquido se evaporará con más rapidez, por lo que conviene poner el zumo de 2 naranjas.
2 Añadir la canela y dejar 20 minutos en el horno o hasta que los melocotones estén tiernos. Pueden prepararse también envueltos en papel de aluminio y asados a la parrilla. Servir tibios o helados.

• Cada ración contiene: 106 kcal, 1 g de proteínas, 27 g de carbohidratos, 0 g de grasa, 0 g de grasas saturadas, 2 g de fibra, 27 g de azúcar añadido y 0,01 g de sal.

Un sorbete delicioso y original, sin ningún tipo de grasa y con poquísima sal. Servido en vaso de chupito o en una copa de cóctel tiene un aspecto precioso.

Sorbete de grosella

450 g de grosellas y unas cuantas más para decorar
2 cucharadas de jarabe de flores de saúco
150 g de azúcar moreno

40 minutos, más el tiempo de congelación • 4 raciones pequeñas

1 Quitar el pedúnculo de las grosellas, lavarlas y ponerlas en un cazo con 2 cucharadas de agua. Llevar a ebullición, bajar el fuego, tapar el cazo y dejar que la fruta se ablande a fuego lento 5 minutos. Pasar por el colador chino para hacer un puré. Añadir el jarabe de saúco y dejar enfriar.
2 Poner el azúcar en un recipiente con 300 ml de agua y dejarlo 5 minutos a fuego lento para que se disuelva. Subir el fuego y dejar hervir 10 minutos.
3 Incorporar el puré de grosella y el jarabe. Llevar a ebullición, bajar el fuego y mantenerlo 2 minutos. Dejar enfriar, pasar la mezcla a un recipiente y dejarlo 3-4 horas en el congelador. Repartir en copas o vasos y adornar con las grosellas restantes.

• Cada ración contiene: 178 kcal, 1 g de proteínas, 46 g de carbohidratos, 0 g de grasa, 0 g de grasas saturadas, 4 g de fibra, 41 g de azúcar añadido, 0,01 g de sal.

Índice

Créditos de fotografías y recetas

La revista BBC *Good Food* y BBC Books quiere expresar su agradecimiento a las siguientes personas por haber proporcionado las fotografías que ilustran este libro. Aunque nos hemos esforzado al máximo por investigar la procedencia de todas ellas, queremos pedir disculpas a sus autores si se ha producido algún error u omisión.

Marie-Louise Avery p. 205; Peter Cassidy p.13, p. 179, p. 184 Jean Cazals p. 173, p. 203, p. 211; Gareth Morgans p. 6, p. 11, p. 19. p. 21, p. 23, p. 25, p. 31, p. 33, p. 37, p. 39, p. 45, p. 49, p. 53, p. 55, p. 57, p. 61, p. 71, p. 75, p. 99, p. 119, p. 121, p. 123, p. 131, p. 133, p.135, p. 137, p. 139, p. 143, p. 145, p. 147, p. 149, p. 167, p. 169, p. 175, p. 189, p. 191, p. 193, p. 197, p. 199; David Munns p. 27, p. 29, p. 35, p. 59, p. 95, p. 115, p. 117, p. 159, p. 171, p. 187, p. 207, p. 209; Myles New p. 15, p. 63, p. 77, p. 81, p. 101, p. 103, p. 109, p. 125, p. 127, p. 129, p. 151, p. 155, p. 183; Lis Parsons p. 41, p. 51, p. 79, p. 91, p. 111, p. 161; Michael Paul, p. 47; Craig Robertson p. 17, p. 67, p. 153; Brett Stevens p. 201; Roger Stowel p. 73, p. 113, p. 181; Debbie Treloar p. 97; Simon Walton p. 43, p. 69, p. 141; Philip Webb p. 93, p. 107, p. 157, p. 163, p. 165, p. 177, p. 195; Kate Whitaker p. 89, p. 105

Todas las recetas de este libro han sido creadas por el equipo editorial de *Good Food Magazine* y colaboradores habituales de la revista.